SŒURS VOLÉES

EMMANUELLE WALTER

SŒURS VOLÉES

ENQUÊTE SUR UN FÉMINICIDE AU CANADA

Préface de Widia Larivière

Photo p. 193 : Rémi Leroux
www.loiseaumoqueur.net

© Lux Éditeur, 2014
www.luxediteur.com

Dépôt légal : 4ᵉ trimestre 2014
Bibliothèque et Archives Canada
Bibliothèque et Archives nationales du Québec

ISBN : 978-2-89596-191-8
ISBN (ePub) : 978-2-89596-677-7
ISBN (pdf) : 978-2-89596-877-1

Ouvrage publié avec le concours du Conseil des arts du Canada, du
Programme de crédit d'impôt du gouvernement du Québec et de la SODEC.
Nous reconnaissons l'aide financière du gouvernement du Canada par
l'entremise du Fonds du livre du Canada (FLC) pour nos activités d'édition.

À l'adolescence.
À Maisy et Shannon, où qu'elles soient.

Grand-père disait qu'on ne veut surtout pas comprendre quelqu'un quand on lui vole ou lui a volé tous ses biens. La moindre compréhension entraînerait un sentiment de culpabilité insupportable.

Jim HARRISON, *Dalva*

This issue is not a women's issue, this is not an Aboriginal issue. This is a human tragedy, and this is a national disgrace.

Dawn HARVARD, présidente intérimaire de l'Association des femmes autochtones du Canada, discours prononcé sur la colline du parlement le 4 octobre 2013

PRÉFACE

Widia Larivière,
Anishnabekwe et cofondatrice
de la branche québécoise
du mouvement Idle No More

En tant que militante féministe des causes autochtones, je lutte notamment pour le droit des femmes
autochtones à une vie décente, cause que je défends
avec ardeur. Pourtant, il m'est très difficile de
parler des femmes autochtones disparues et assassinées. Au-delà des analyses sociologiques et politiques que je pourrais en tirer, ce sujet éveille en
moi trop d'émotion, de tristesse et de colère. Et
cette épouvantable réalité m'écorche chaque fois
que de nouveaux cas s'ajoutent à la sombre liste
des disparues.

Au moment où j'écris ces lignes, en ce mois
d'août 2014, on apprend que le corps de Tina
Fontaine, une Ojibwé de 15 ans portée disparue
depuis huit jours, a été retrouvé dans un sac jeté
dans les eaux de la rivière Rouge à Winnipeg. Elle
était sous la garde des services sociaux manitobains au moment de sa disparition. C'est par
hasard qu'on l'a retrouvée, alors que les plongeurs

cherchaient un homme noyé. Cette nouvelle victime s'ajoute donc à la liste des 1 181 femmes autochtones disparues ou assassinées au Canada depuis les trente dernières années. Comme pour les autres cas récents, cette dernière atrocité a relancé le débat concernant la nécessité d'une commission d'enquête publique et indépendante sur ce phénomène, ainsi qu'un plan d'action national contre la violence faite aux femmes autochtones. Mais le gouvernement actuel a refusé une fois de plus d'accéder à ces revendications et préfère encore s'en remettre aux forces de l'ordre. À mes yeux, ainsi qu'aux yeux de nombreux autres militants, il est inadmissible que ces mesures – la commission d'enquête et le plan d'action – fassent l'objet de tels faux-fuyants, alors qu'elles ne seraient pourtant que le début d'une solution.

Lorsqu'on parle de 1 181 femmes autochtones disparues ou assassinées, encore trop de gens ne se rendent pas compte de l'horrible situation qui se perpétue sous nos yeux. Dans l'imaginaire populaire, les chiffres ont souvent le défaut de n'évoquer qu'une suite de faits divers. Or chaque cas représente une tragédie incommensurable pour les proches des victimes. Ce sont en fait des familles et des communautés entières qui se retrouvent affectées pour toujours, amputées, et celles-ci sont trop souvent laissées à elles-mêmes.

Ce qui se passe au Canada est une tragédie nationale qui s'inscrit dans les impacts encore actuels de l'héritage colonial, et s'apparente à un féminicide. J'ai remarqué qu'il est parfois plus efficace d'utiliser des comparaisons pour faire comprendre aux non-Autochtones l'ampleur et la gravité du phénomène. Rappelons-nous que, proportionnellement, 1 181 femmes autochtones représentent environ 30 000 femmes canadiennes ou 55 000 femmes françaises. J'ose croire qu'un tel décompte de femmes assassinées ou disparues déclencherait un véritable scandale dans le monde entier. Le racisme, l'indifférence des médias et l'apathie politique font en sorte que la disparition d'une femme autochtone émeut moins la majorité que celle d'une femme blanche.

Les femmes autochtones disparues ou assassinées au Canada ne sont pas des victimes de faits divers. Elles sont victimes de crimes, mais il ne s'agit pas uniquement de meurtres ou de séquestrations. Il y a un autre crime, et c'est l'indifférence. Des ouvrages comme celui d'Emmanuelle Walter sont importants car ils humanisent ces drames en allant au-delà des chiffres. L'auteure le fait en donnant chair aux statistiques, dans ce cas-ci, en racontant les histoires de Maisy Odjick et Shannon Alexander, deux jeunes femmes Anishnabés portées disparues depuis 2008. En partant de ce récit, elle présente des analyses et des interprétations sociologiques du phénomène. Sans parler au nom des Autochtones, elle contribue à combler un vide et à interrompre le silence entourant la question des femmes autochtones disparues et assassinées. Je la remercie pour son dévouement, car nous avons aussi grandement besoin de l'appui et de la solidarité de tous pour éveiller la conscience collective à ce sujet.

Ce n'est pas pour nous poser en victimes ni pour nous apitoyer sur notre sort que nous, militantes féministes autochtones, menons nos actions. Certes, nous souhaitons rendre hommage à nos sœurs disparues et assassinées ainsi que sensibiliser la population, et faire entendre nos revendications sur cette question. Mais nos actions visent aussi à revaloriser le pouvoir des femmes autochtones dans une perspective de décolonisation. Selon un dicton autochtone : « On perd la bataille le jour où le cœur des femmes tombe au combat. » Constatant l'ardeur et la détermination avec lesquelles mes consœurs militent pour cette cause, ainsi que l'apport précieux que constituent des ouvrages comme celui d'Emmanuelle Walter, j'ai toujours espoir que nous obtiendrons justice.

À nos sœurs volées et à leurs proches, à nos ancêtres, à nos familles ainsi qu'à la force de toutes les femmes autochtones.

Montréal, territoire mohawk non cédé,
août 2014

INTRODUCTION

Quand des femmes meurent par centaines pour l'unique raison qu'elles sont des femmes et que la violence qui s'exerce contre elles n'est pas seulement le fait de leurs assassins mais aussi d'un système ; lorsque cette violence relève aussi de la négligence gouvernementale, on appelle ça un féminicide.

Contre toute attente, notre Canada épris de consensus social est le lieu d'un féminicide à bas bruit. Les victimes, ce sont les filles et femmes amérindiennes[1].

J'ai découvert cette tragédie fin 2011, un an après m'être installée au Québec. Le Comité des Nations Unies pour l'élimination de toute forme de discrimination à l'égard des femmes, apprenais-je, avait été sollicité pour enquêter sur les assassinats et les disparitions des femmes autochtones du Canada. Cette épidémie d'assassinats, c'était une révélation.

---

1. Dans le présent ouvrage, nous utiliserons plus souvent le terme « autochtone », qui désigne au Québec ceux que les Français appellent les Amérindiens. Le terme « autochtone » englobe à la fois les Amérindiens, les Inuits et les Métis.

En mai 2014, j'étais en pleine rédaction de ce livre quand la Gendarmerie royale du Canada (GRC) a, enfin, rendu public un rapport sur les femmes autochtones disparues ou assassinées. Pour la première fois, la police canadienne publiait ses chiffres, et ils étaient plus élevés que tous ceux diffusés jusqu'alors. Entre 1980 et 2012, 1181 femmes autochtones ont disparu ou été assassinées, disait le rapport, alors qu'elles ne constituent que 4 % des femmes au Canada. Les filles et les femmes autochtones ont compté pour 23 % des homicides de femmes en 2012, tandis que, en 1980, elles ne représentaient que 9 % des victimes. Le nombre de meurtres de femmes diminue, mais pas du tout pour les femmes autochtones, observait la GRC.

Ce jour-là, plusieurs articles commentant ce rapport étaient illustrés par la même photo, celle d'une femme aux cheveux courts et bruns, en blouson de cuir, la tête inclinée devant un micro, regardant avec tendresse la photo de sa fille sur une pancarte qu'elle tenait entre ses mains et qui disait «*Missing*». À sa droite, un homme tenait une autre pancarte représentant une autre jeune fille.

J'étais présente le jour où cette photo a été prise, le 4 octobre 2013, sur les marches du parlement, à Ottawa. La femme au sourire tendre, c'est Laurie Odjick. Sa fille, sur la pancarte, c'est Maisy Odjick. La jeune fille sur l'autre pancarte est Shannon Alexander. Ainsi Maisy et Shannon, dont la disparition était le sujet de mon travail depuis plus d'un an, avaient été choisies pour représenter la tragédie des femmes autochtones assassinées ou disparues. Mais ce n'était pas la première fois que leurs beaux visages, l'un joyeux, l'autre boudeur, illustraient le drame.

Leur disparition de la petite ville de Maniwaki, au Québec, date du 6 septembre 2008. Maisy Odjick et Shannon Alexander étaient comme des sœurs. Maisy vivait dans la réserve algonquine[2] et anglophone de Kitigan Zibi. Elle avait 16 ans. Shannon vivait dans un quartier de Maniwaki qui borde la réserve. Elle en avait 17.

On m'avait maintes fois mise en garde : enquêter dans le monde autochtone, c'était risquer de rencontrer un mur. Rien de tel ne m'est arrivé. C'est Michèle Audette, alors présidente de l'AFAC, qui m'a parlé de la disparition de Maisy et Shannon. La militante Bridget Tolley m'a mise en contact avec Laurie Odjick, la mère de Maisy. J'ai pu rencontrer Laurie et son mari, Mark Roote ; le frère de Maisy, Damon ; la grand-mère de Maisy, Lisa Odjick ; sa tante, Maria Jacko. J'ai correspondu avec le père de Maisy, Rick Jacko. J'ai rencontré le père de Shannon, Bryan Alexander, et sa grand-mère, Pamela Sickles (repose en paix, Pam). J'ai pu rencontrer les militantes de la cause des femmes autochtones. Et le chef de la réserve de Kitigan Zibi. Et le chef de la police de Kitigan Zibi. Toutes et tous avaient à cœur de maintenir la mémoire des filles et de transmettre et leur colère et leurs questions.

---

2. Les Algonquins (on dit aussi Anishinabés, Anishnabés ou Anishinabeg) vivent dans neuf communautés du Québec et de l'Ontario.

Le 17 août 2014, le corps de la jeune Ojibwé Tina Fontaine, 15 ans, a été retrouvé par hasard dans un sac flottant sur la rivière Rouge, à Winnipeg. « Nous ne devrions pas considérer ceci comme un phénomène sociologique, mais comme un crime », commentait, dans la foulée, le premier ministre du Canada, Stephen Harper.

Ce livre démontre que Stephen Harper nous leurre.

Voici maintenant l'histoire de Maisy et Shannon, joyeuses, rebelles et vulnérables.

Voici l'angle mort d'un pays prospère, le Canada.

I

RUE PITOBIG, KITIGAN ZIBI,
11 JANVIER 2014

Une maison de bardeaux blancs pas tout à fait ter-
minée, coiffée d'une parabole pour la télévision ;
tout autour, le brouillard, la neige, les bouleaux
fantomatiques, et le lac, de l'autre côté de la route.

Je suis passée sans la voir, roulant presque à
l'aveugle, sans pouvoir lire les numéros. Dans la
réserve de Kitigan Zibi Anishinabeg, Québec,
18 000 hectares, à 140 kilomètres au nord d'Ottawa,
les maisons des 1 500 habitants sont pour la plupart éparpillées le long des petites routes à travers
la forêt ; les « rues » sont sans fin. J'ai fait demi-
tour, occupant la largeur glacée de Pitobig Street,
puis repris la route, répondant dans la brume aux
saluts des conducteurs qui pensaient croiser une
voiture de la communauté – qui d'autre circulerait
ici ?

Et puis c'était à gauche, en hauteur, la pente
était glissante, j'ai laissé la voiture en contrebas.

*

*   *

En septembre 2013, lors de la marche annuelle à la mémoire de Maisy et Shannon, deux amies disparues ensemble cinq ans plus tôt, j'ai croisé Lisa Odjick, « Little Grandma », assise sur un banc dans l'air tiède. Une petite grand-mère douce, cheveux courts et gris, alourdie par le temps, endolorie à jamais par la disparition de sa petite-fille, Maisy.

Quatre mois plus tard, je retrouve Lisa aux fourneaux – son ancien métier – qui concocte un pain de viande. On parlera en français.

— Quand j'avais 5 ans, nous avons déménagé sur le bord de la réserve, et de l'autre côté, mes petites voisines étaient des Blanches, des Québécoises. Alors j'ai appris le français. En ce temps-là, on n'avait pas l'électricité, j'allais *watcher* la télévision chez elles !

Elle rit.

Tout est simple ici, un peu branlant, un peu précaire, Lisa s'en accommode ; elle ne se souvient pas de toutes les maisons et tous les *flats* qu'elle a habités dans la réserve, la vie va trop vite. Lisa raconte sa mère morte d'une hémorragie quand elle avait six mois (« On vivait au fond du bois, elle n'a pas pu être sauvée. »), sa vie mouvante et fragile, de mère adoptive en pensionnat et en familles d'accueil ; l'Abitibi, la ville de Québec, la réserve, l'année aux États-Unis où est née sa fille unique Laurie, la mère de Maisy ; et de nouveau la réserve à partir des années 1970.

C'est ici, chez Lisa, entre lac et forêt, que Maisy a passé de longs mois ; ici qu'elle vivait avant de se volatiliser. Dans le petit salon, les murs sont couverts de photos. Maisy en grande sœur, yeux bridés, traits fins, sourire rayonnant, enlaçant ses trois frères et sœur. Maisy en *papoose,* vêtue d'une robe traditionnelle rouge avec foulard assorti. Maisy en costume de finissante orné de motifs amérindiens, posant avec son diplôme. Maisy ado, avec des mèches blondes.

— Maisy avait vécu quelque temps avec son chum, mais ça n'allait plus ; elle a appelé Earl, mon mari, elle lui a dit : « Viens me chercher. » Elle avait 16 ans ou presque. Elle s'est installée chez nous, elle était fâchée avec sa mère. Elle n'allait plus à l'école.

— C'était comment, vivre avec Maisy ?

— J'adorais ça. J'adorais sa compagnie. Elle s'était installé un genre de chambre dans le sous-sol, avec des draps qu'elle avait accrochés au plafond pour se faire des murs. On avait du *fun* ensemble, on parlait, on jouait aux cartes, à Crazy 8... On s'asseyait sur les fauteuils (elle les montre, un beige, un grenat), on *watchait* des émissions qu'on aimait toutes les deux, comme *Le prochain top-model,* les concours de chanteurs, on voulait pas les manquer... Elle faisait des sortes de collages sur l'ordinateur, des dessins... Elle se faisait des coiffures et se prenait en photo, elle faisait des *selfies* (et Lisa rit, fait mine de poser devant un appareil, puis me montre des photos)... Tiens, regarde celle-là (une Maisy magnifique, avec des *dreadlocks* bleues), cette photo, c'est ma préférée. Elle m'aidait, un peu. Elle commençait à apprendre la cuisine, des petites affaires, la sauce à spaghetti, des macaronis, des affaires faciles. Je pense tout le temps à elle... C'est si dur. C'était comme ma fille...

— Comme une autre Laurie, alors.

— On l'a aimée c'te fille-là quand elle est venue au monde. Tout de suite, là. Maisy, notre premier petit-enfant. À l'accouchement, la première fois qu'on l'a vue, sa petite tête… Mon mari était ému, il pouvait pas parler.

*
* *

Damon, le frère de Maisy, son cadet de deux ans, sort du sous-sol. C'est à son tour de vivre ici après avoir quitté la maison familiale, à son tour d'éner-ver sa mère en snobant l'école ; à son tour de se laisser bercer par la douceur et les petits plats de Little Grandma. À son tour, aussi, de loger au sous-sol qu'il m'interdit gentiment de visiter, « il y a trop de désordre ». Du bout des lèvres, Damon décrit sa grande sœur en quelques mots pudiques, « parti-culière, drôle, parlant beaucoup, jamais seule ». Il ajoute que Maisy a aussi vécu quelque temps en Ontario, chez leur père, Rick Jacko, le premier conjoint de Laurie.

Damon disparaît d'un coup au sous-sol, puis remonte aussitôt, avec une grosse boîte en plas-tique noir. Lisa s'approche, met ses lunettes. Sans un mot ou presque, ils sortent sur la table des objets ayant appartenu à Maisy, un par un.

Une clarinette dans sa boîte poussiéreuse.

Une petite poupée amérindienne en tissu bleu avec un bandeau rouge et perlé sur le front.

Un certificat d'ojibwé, une langue algon-quienne, obtenu en 2005 à l'école de Southampton en Ontario, où la famille a vécu trois années.

Des albums photo de famille que Maisy fabriquait.

Une boîte en carton bleu « qu'elle emportait partout avec elle », dit Lisa, contenant des dizaines de photos, dont une en noir et blanc où on la voit, la tête posée sur l'épaule de son amoureux.

Un cahier de sciences physiques couvert de son écriture ronde, et, glissé à l'intérieur, un devoir tapé à l'ordinateur qui lui a valu 8/10, « *Good* », dit l'appréciation.

Des notes de cours datant de septembre 2007, quelques semaines avant qu'elle ne choisisse de déserter l'école.

Un cadre photo blanc en forme de chien, avec une photo de bébé.

Un cadre photo représentant des loups, avec une photo de sa petite sœur en robe rose.

— Des fois, Maisy avait l'air triste, raconte Lisa. Des fois, elle disait qu'elle ne méritait pas d'être aimée. Je lui répondais toujours qu'elle avait le droit d'être aimée. Et que s'il lui arrivait quelque chose, notre cœur allait se briser.

Elle s'arrête, souffle coupé.

— Maisy, je lui disais de pas gaspiller sa vie ; et elle avait décidé de retourner à l'école.

D'un tiroir, elle sort un des petits mots que Maisy laissait sur la table, précieusement conservé. « *Gone again !* dit l'écriture ronde. *Call you later. Love, Maisy*[1]. »

---

1. Je suis encore sortie ! Je t'appelle plus tard. Je t'aime. Maisy

II

RUE KOKO, MANIWAKI, AOÛT 2008

« Je m'apprêtais à rentrer à Ottawa », m'a raconté Pam. « C'était quelques semaines avant la disparition ; j'avais rendu visite à mon fils Bryan et ma petite-fille Shannon, dans leur appartement de la rue Koko, à Maniwaki. Shannon m'a précédée dehors, et elle s'est assise, jambes croisées, sur la niche de son chien. Elle avait cette nouvelle coupe de cheveux, ils étaient tout courts, elle était magnifique. C'est la dernière fois que je l'ai vue. Elle m'a demandé :

— Grand-mère, tu t'en vas ?

J'ai dit oui.

— Et tu rentres à Ottawa ?

J'ai dit oui.

— Est-ce que je peux venir à Ottawa avec toi ?

J'ai dit non. Je lui ai expliqué que je ne resterais pas longtemps à Ottawa. Je partais en voyage pour mon travail. Ce n'était pas possible. »

Pam était alors analyste principale pour l'armée canadienne, chargée de l'embauche des Autochtones. Elle devait suivre et évaluer ses jeunes recrues. «S'il y avait un problème impliquant des militaires autochtones, j'allais sur place, j'enquêtais pour comprendre ce qui s'était passé, s'il fallait une médiation, je le faisais. J'ai travaillé quinze ans pour l'armée. C'était très prenant.»

Pam. Pamela. Une élégante de 70 ans, cheveux gris bouclés, affairée à sa comptabilité dans sa maison de Kitigan Zibi, au bord de la route 105. L'autre grand-mère, celle de Shannon. Pam qui allait et venait entre sa maison de la réserve et son appartement à Ottawa, à 140 kilomètres au sud, et que j'ai eu la chance de trouver chez elle un après-midi de janvier, de ces jours de verglas où l'on risque de se casser une jambe en posant simplement le pied par terre; Pam qui m'a demandé rudement, à travers la porte-moustiquaire, d'ôter le chat du perron, sinon, elle ne m'ouvrirait pas la porte, elle est allergique, pas question qu'il rentre.

J'ai soulevé le gros chat, qui a dévalé l'escalier.

Elle s'est adoucie quand elle a compris pourquoi j'étais là.

— Je m'appelle Pam Mitchell Sickles.

— Sickles? S-i-c-k-l-e-s?

— Oui, c'est ça. J'ai 70 ans.

Et elle a enchaîné:

— Ma mère était de Kitigan Zibi. Mon père d'Akwesasne, une réserve sur la frontière. Mon père était mohawk et ma mère algonquine. Je suis née à Ottawa, où ils se sont connus. Ils se sont rencontrés au sanatorium, ils avaient tous les deux la tuberculose.

Et puis nous sommes entrées dans le vif du sujet.

— Shannon était très jolie, vous savez ? Dix-sept ans. Sur les photos, elle a toujours l'air… Mais elle était très belle. Grande et mince. Elle avait une manière de se déplacer, de bouger…

Oui, je savais.

Sur les avis de recherche, on apprend que Maisy mesurait 1,83 m, et Shannon 1,78 m ; 57 kg pour M., 64 kg pour S. On voit la mine rayonnante de Maisy, ombrageuse de Shannon. Deux grandes perches gracieuses et dégourdies qui passaient ensemble le plus clair de leur temps, même si elles n'avaient pas tout à fait la même histoire. Maisy vivait en famille, avec ses frères et sœur, sa mère Laurie, animatrice à la station de radio de la réserve, son beau-père Mark qui travaillait au magasin général. Shannon, elle, était née à Ottawa, d'une mère toxicomane, Caroline ; d'un père, Bryan, le fils de Pam, dont je savais alors fort peu, sinon la détresse et l'alcoolisme. L'un des avis de recherche montre une Shannon ravissante, au regard intense et coiffée d'un béret des cadets de l'armée, sorte de scoutisme militaire auquel elle participait depuis l'âge de 12 ans.

— Quand Shannon était bébé, a poursuivi Pam, Caroline est partie. Bryan et elle voulaient tous les deux que j'élève Shannon, ils me le demandaient régulièrement quand elle était toute petite. Mais je travaillais pour l'armée. Mon mari était mort, je vivais seule, mon travail me faisait voyager partout, j'avais des horaires décalés. Je ne pouvais pas. Il aurait fallu que je change d'emploi. Je ne me sens pas coupable de ça, tu sais. Et puis quand ma fille, la sœur de Bryan, a proposé finalement de prendre Shannon chez elle pour l'année scolaire, Bryan a refusé. Il a élevé Shannon, seul, il l'aimait à la folie, il n'était plus question qu'elle vive ailleurs.

*
* *

Pam interrompait parfois son récit pour parler de la chatte, car c'était une chatte.

— Regarde-la qui nous regarde à travers la vitre… Elle veut rentrer, mais si elle rentre, mon allergie va se déclencher. Quand il fait -18 °C, je lui ouvre la porte. C'est la chatte de mon frère… Il ne me croyait pas pour l'allergie, mais il m'a vue réagir une fois, et il a compris. Alors elle reste dehors.

Pam semblait se battre davantage avec son sentiment de culpabilité, sa dureté, qu'avec son chagrin. Mais plus tard, en écoutant l'entretien sur mon enregistreur, j'entendrai les sanglots refoulés, la voix qui tremble. Je l'entendrai prononcer cette phrase sur un ton anodin, à un moment qui ne s'y prête pas, et sans dire à qui elle se rapporte : « Si tu aimes quelqu'un, il faut prendre le temps de lui dire que tu l'aimes et que tu te soucies de lui. Tu ne sais jamais quand tu vas perdre quelqu'un. »

— Pendant mes séjours à Kitigan Zibi, Shannon venait chez moi, dormait chez moi, elle s'asseyait ici et pestait contre son père, qui l'aimait, qui faisait au mieux, mais qui buvait, qui l'obligeait à ranger sa chambre, à faire elle-même sa lessive – c'est comme ça que, moi, je l'avais élevé, Bryan, ses frères et sa sœur aussi. Et au moment d'aller au lit, Shannon téléphonait à son père, lui disant d'un ton rude: «Je t'aime papa, bonne nuit» (Pam a pris le ton de la jeune fille exaspérée, et elle a éclaté de rire). Et puis, Shannon montait vers sa chambre, et je la voyais trembler de colère dans l'escalier.

J'ai expliqué à Pam que je n'avais pas osé approcher Bryan – je l'avais vu lors de la veillée commémorative dans Maniwaki, chandail gris clair, pantalon beige et chaussures de sport blanches, canette de bière à la main, le crâne rasé, le visage ravagé de ceux qui ont une vie qui n'est pas une vie. Il s'était à grand-peine approché du micro. Je ne sais plus ce qu'il avait dit, il avait parlé moins d'une minute. Il avait interrompu sa phrase dans un gros sanglot, puis avait fendu la foule pour s'éloigner.

— Je l'appelle, a dit Pam après un moment de réflexion. Il doit être chez lui, il pleut.

Elle s'est d'abord trompée de numéro. Puis:

— Allo, Bryan? C'est ta mère. OK. Bon (petit rire). Il y a une femme ici. Elle voudrait te parler. Elle veut écrire un livre (elle insiste sur «un livre»). À propos de la disparition de Shannon. Et je pense que c'est la meilleure façon de tirer au clair l'histoire de Shannon (oh, non, hélas). Je ne connais pas l'histoire, tu es celui qui peut la raconter.

À ce moment-là, alors que Bryan répondait à sa mère à l'autre bout du fil, des sons de violons stridents sont sortis de la radio.

— Oui, oui, elle veut raconter ça dans un livre.

D'un coup, elle a raccroché.

— Il dit qu'il veut bien vous parler, mais qu'il est fatigué de raconter son histoire. Il est très en colère. Comme toujours.

III

PARC NAGISHKODADIWIN, MANIWAKI, 6 SEPTEMBRE 2013

Nous avions marché cinq kilomètres, de Kitigan Zibi jusqu'au centre de Maniwaki; Laurie, la mère de Maisy, s'était moquée de moi parce que j'avais gardé mes espadrilles à talon compensé alors qu'ils étaient tous en chaussures de sport; étions-nous 100, 200 – les familles, le chef de la réserve, une partie de la communauté algonquine, le député fédéral néodémocrate, la députée provinciale libérale; les permanents d'Amnesty International à Ottawa et les militantes de Families of Sisters in Spirit, l'association des familles de femmes autochtones assassinées ou disparues; une représentante de l'association Enfant-Retour Québec; quelques journalistes locaux. Nous marchions au bord de la route 105 comme tous les ans à la même date, pour rendre hommage à Maisy et Shannon, cinq ans après leur disparition.

Ni cris, ni slogans, ni colère; une marche discrète dans une ville déserte qui s'apprêtait à souper. Les accolades et les sourires entre manifestants, leurs enfants qui slalomaient gaiement entre le trottoir et les jardins, les coups de klaxon amicaux des habitants de la réserve rentrant chez eux – autant de sons, de mouvements qui masquaient le désespoir. Mark, le beau-père de Maisy, portait autour du cou la pancarte représentant Shannon ; la petite sœur de Maisy arborait celui de sa grande sœur ; Bryan, le père de Shannon, sonné, livide, silencieux, portait sa colère. Une camionnette roulait au pas avec la banderole « *Missing* » à l'effigie des deux filles.

Il était à peu près 18 h 30 au parc Nagishkoda-diwin, aménagé par la communauté algonquine au milieu de Maniwaki. La veillée a commencé à la lueur des bougies disposées autour du kiosque à musique. Au micro, Annie, une tante par alliance de Laurie, âgée et magnifique, a prié en algonquin, puis évoqué ce que sa petite ville lui semblait devenue depuis la disparition : dangereuse et glaçante. Laurie se tenait seule, debout, face à elle. Elle s'est approchée comme pour mieux recevoir les paroles des orateurs, les remercier d'être là, vivre intensément ce moment de solidarité, mais de solitude.

Tout à coup, elle a tourné la tête. Une femme et un enfant d'une dizaine d'années traversaient la rue, tambours à la main. Le temps s'est suspendu. Notre assemblée silencieuse a regardé Laurie qui s'était avancée vers eux et les serrait maintenant dans ses bras. La femme et l'enfant sont alors montés dans le kiosque, ont sorti des sifflets traditionnels, sifflé aux quatre points cardinaux, sifflé en bougeant la tête de haut en bas. L'enfant, que j'avais pris pour une petite fille à cause de ses traits délicats, de ses cheveux longs tressés, et qui était un petit garçon, un incroyable petit garçon nommé Theland, s'est mis à chanter en algonquin, avec les inflexions que j'avais entendues dans d'autres cérémonies, mais avec la difficulté qu'ont les petits garçons à descendre dans les tonalités basses. L'anglais est venu ensuite et Laurie, jusque-là stoïque, s'est effondrée en larmes, puis s'est réfugiée dans les bras de son fils.

> *When the sun went down the moon*
>   *and stars were out*
> *It was a beautiful night*
> *I saw a shooting star*
> *I started thinking of you*
> *Until I see you again, you're always in my heart*[1].

C'était mon premier séjour à Maniwaki, une petite ville de 4 000 habitants à l'ouest du Québec, non loin de la frontière ontarienne. J'avais pris la 15 Nord depuis Montréal, puis la 117, la route des Hautes-Laurentides. Montagnes vertes et arrondies qui s'enchaînent façon colonne vertébrale géante, sapins, marécages, cantines ambulantes, motels déglingués, restaurant Manoir de Picardie, sapins, lacs, chalets-modèles, « Esthétique voitures et bateaux, docteur du pare-brise », pauvres maisons mobiles mais immobiles, mégabrocantes fermées, sapins, lacs impavides, « Tout pour la pêche, le paradis du pêcheur », concessionnaires de roulottes,

---

1. Quand le soleil s'est couché et que les étoiles et la lune se sont levées / C'était une belle nuit / J'ai vu une étoile filante / Je me suis mis à penser à toi / Tant que je ne te reverrai pas, tu seras toujours dans mon cœur.

bar-spectacle le Saint-François avec danseuses nues, sapins, lacs. Les piscines étaient vides, les cours d'école remplies ; les télésièges oscillaient dans le vent, esseulés ; les Laurentides, sans touristes, attendaient désormais la neige et les skieurs.

À Grand-Remous, on est déjà en Outaouais. Tourner à gauche sur la 105 Sud. Changement à peine perceptible du paysage : un peu plus agricole, plus doux, moins montagneux. Voici Maniwaki et son voisin amérindien, Kitigan Zibi Anishinabeg, la réserve algonquine – KZA pour les locaux. Deux petites villes collées l'une à l'autre, l'une blanche, 4 000 habitants, francophone, l'autre autochtone, 1 600 habitants, anglophone.

J'avais rendez-vous devant le Home Hardware du coin, avec la cofondatrice de Families of Sisters in Spirit, une association de soutien pour les familles des disparues – Bridget Tolley était résidente de Kitigan Zibi, hyperactive, organisatrice née ; elle organisait la veillée avec Laurie.

La quincaillerie était définitivement fermée.

Bridget s'est garée à mes côtés. Elle revenait d'Ottawa ; elle avait voulu emmener Caroline, la mère de Shannon, pour participer à la marche ; l'avait cherchée sans succès dans son quartier. « C'est correct », a dit Bridget, comme pour dire « Je ne lui en veux pas de ne pas être là », sachant ce qu'elle savait de cette femme toxicomane, perdue. Bridget et moi, on a parlé, adossées aux voitures, dans le vent frais de ce début septembre, et soudain, comme un éclair, est apparu un t-shirt bleu, une démarche décidée. « C'est Laurie, a dit Bridget. Laurie Odjick. »

Laurie était celle qui m'avait dit oui. Oui pour raconter la disparition de sa fille, Maisy, et de la meilleure amie de sa fille, Shannon. Oui pour revenir sur ce tremblement de terre, sur la colère contre la police et les médias, sur son sentiment d'immense solitude, sur son combat pour les familles, sur sa vie bouleversée. Oui pour représenter, bien malgré elle, les mères des disparues autochtones du Canada. Oui, sans condition, sans exigences particulières, oui, c'est tout.

*

* *

— Tu sais quoi? a dit Laurie. Un jour, j'ai pris en stop un gars de la réserve qui avait été soupçonné après la disparition de Maisy et Shannon.

Nous étions assises sous un vaste préau en bois, au bord du lac Pocknock, le lendemain de la marche. Petite pluie fine. C'était «jour des Familles» à la réserve, une kermesse avec concours de pêche sur le lac, bingo, course sur les fesses; on mangeait des steaks, des pommes de terre et de la salade. Laurie et Mark, son deuxième mari, le père de ses deux petits derniers et soutien indéfectible, de ceux qui parlent peu mais font beaucoup, était assis à côté d'elle et surveillait les allées et venues des enfants.

— Ce gars marchait vers Maniwaki. On a l'habitude de prendre en voiture les membres de la communauté qui marchent sur la route. Il s'est arrêté avant de traverser. Je me suis dit…

— Tu t'es demandé ce que tu allais faire?

33

— En fait, je me suis demandé ce que j'avais le courage de faire.

Un policier de Mont-Laurier, ville située à 68 kilomètres au nord-est, avait été chargé de l'affaire Maisy et Shannon pendant quelques mois. Le temps de commettre une bourde : il avait soufflé à Laurie les noms de deux suspects, deux jeunes Autochtones de la communauté.

— Des gens que tu connaissais ?

— Oui, bien sûr.

— Et que tu voyais régulièrement ?

— Oui. Il a fallu vivre avec ça. Qu'il m'ait donné ces noms… Ça m'a mise très en colère. Imagine, si j'avais pété un plomb… Si j'étais passée à l'acte ? Je serais en prison à l'heure qu'il est…

Il s'était passé deux ou trois ans, Laurie ne savait plus, depuis les interrogatoires des deux jeunes. Il n'y avait pas eu de suite.

Elle avait stoppé sa voiture.

— Je crois que je voulais voir sa réaction en découvrant que j'étais la conductrice ; ce n'était pas ma voiture habituelle. Et quand il est monté…

Laurie a respiré très fort, comme pour échapper à une asphyxie.

— J'ai dit : « Salut, comment ça va, blablabla. » Et lui : « Ça va, je vais bien », etc. Je me disais « Et si c'était lui ? » J'avais envie de lui parler de, tu sais… de lui parler de ça… Il était à l'aise. Quelqu'un qui aurait fait du mal à ma fille n'aurait pas été aussi à l'aise, à moins d'être un démon. Non ?

— Est-ce qu'il savait que tu savais qu'il avait été interrogé par la police ?

— Oui, il savait.

— Est-ce que ces deux-là sont des mauvais garçons, des délinquants?

— Je ne dirai rien sur eux. Est-ce que j'ai cru qu'ils étaient impliqués? Quand tu as perdu un enfant, c'est difficile de garder la tête froide. Mais, au fond de mon cœur, je pense que ce n'est pas eux.

Roulant ce jour-là sous la pluie, il m'a semblé que la peine et le chagrin flottaient autour de la voiture, comme des revenants; et j'ai pensé que Laurie avait perdu Maisy non pas une fois, mais trois. Quand elle avait quitté la maison pour vivre avec son amoureux, à 15 ans. Quand elle avait choisi de vivre chez sa grand-mère. Quand elle avait disparu, à 16 ans, presque 17.

— Est-ce que les choses auraient pu se passer autrement, se demandait Laurie. Par exemple, si nous n'étions pas revenus de Saugeen?

*

*   *

Saugeen est la communauté de Mark, au bord du lac Huron, en Ontario, à 800 kilomètres de Maniwaki. La famille – Laurie et Mark, les quatre enfants – y a vécu trois ans parce que Mark avait décroché un emploi de travailleur social. Il n'y a pas d'école dans la réserve et les enfants étaient scolarisés à Southampton, la ville voisine; Maisy y avait noué des amitiés fortes, « elle était très amie avec des filles blanches », précise Laurie, façon de dire que ça ne va pas de soi; elle excellait en sports, s'épanouissait à l'orée de son adolescence, façon

35

Maisy, c'est-à-dire obstinée, frondeuse, « tête dure », dit Laurie en français, dans un rire.

Laurie a suivi une formation en soins gériatriques, puis monté une petite entreprise de comptabilité. Mais pour Mark, dont le travail consistait à placer les enfants défavorisés ou maltraités de la réserve dans des familles d'accueil, la vie est devenue impossible.

— Enlever des enfants de sa propre communauté, c'était trop dur. Il a dit qu'il ne pouvait plus.

Ainsi Mark s'était-il trouvé au cœur d'un drame enraciné dans l'histoire des Premières Nations ; pendant plus de cent ans, 150 000 enfants autochtones du Canada ont été enlevés à leur famille par la police et placés dans des pensionnats explicitement conçus pour « ôter l'Indien en eux », où la faim et la maltraitance étaient monnaie courante. Puis une autre pratique s'est développée : le placement des enfants dans des familles blanches, volontairement éloignées de leurs communautés ; c'est le *Sixties Scoop,* qui a concerné 20 000 enfants et duré des années 1960 aux années 1980. Aujourd'hui, 30 à 40 % des enfants placés sont autochtones, quand ils ne représentent que 5 % des enfants canadiens[2]. Ils vivent, le plus souvent, en dehors de leur culture et de leur communauté. Trop souvent, le motif du placement n'est pas la maltraitance, mais la pauvreté.

Mark a donc décidé de quitter son travail.

---

2. « Les voies menant à la surreprésentation des enfants autochtones dans les services de protection des enfants », *Feuillet d'information du CEPB #23F,* Toronto, Université de Toronto, Faculté de travail social, 2005.

— Et moi, mes parents me manquaient, ajoute Laurie. En 2006, nous sommes revenus à Kitigan Zibi. Maisy ne l'a jamais vraiment accepté, et notre gros conflit a commencé. Un gros, gros conflit. *Big, big fight.*

Élever des ados dans une communauté autochtone, même la moins dévastée d'entre elles, où les traumatismes du passé (l'annihilation culturelle, les migrations forcées, les enfants enlevés, les familles détruites) et du présent (l'absence de travail, l'absence d'avenir, l'absence de sens) se conjuguent pour générer la déscolarisation, les problèmes mentaux, la violence, l'autodestruction. Élever des ados qui voient tous les jours l'alcoolisme, l'abandon, la défaite. Les adultes rencontrés dans la réserve ne m'ont pas caché que cette période alcool-drogue-décrochage scolaire touche beaucoup de jeunes.

Ainsi Laurie, devenue conseillère en toxicomanie à Kitigan Zibi, s'est à son tour retrouvée dans une situation comparable à celle de Mark à Saugeen : à tenter de soigner les maux d'une communauté à laquelle elle appartient. « C'est très dur », m'a-t-elle confié un jour.

Comment faire ? Partir ? Au Canada, la moitié des Autochtones vivent hors réserve, mais non sans mal. La réserve, c'est aussi le seul endroit pour préserver ce qui reste de cohérence sociale, familiale et psychique, pour transmettre les traditions à ses enfants. Aux pires moments de sa vie, pendant la première année qui a suivi la disparition de sa fille, quand le sol s'ouvrait chaque minute sous ses pieds, Laurie a choisi de rester dans sa communauté. Peut-être parce que celle-ci, Kitigan Zibi Anishinabeg, tient debout. Trop éloignée des grands centres urbains et de la frontière américaine pour être le repaire permanent de trafiquants de drogue et de contrebandiers, et suffisamment proche de la capitale, Ottawa, pour éviter l'isolement misérable et désespérant des réserves du Nord et du Grand Nord, KZA a bénéficié de chefs compétents ; la réserve a sa police, sa garderie, sa radio, ses écoles, ses bourses d'études, son foyer pour femmes, son sirop d'érable exporté jusqu'en Nouvelle-Zélande, son activité forestière, son centre culturel, et son élite politique – une chercheuse de l'Université d'Ottawa, une militante de la cause des femmes, une jeune pousse prometteuse du monde politique autochtone, et d'autres encore ; et le chef Whiteduck, leader autochtone de l'Est canadien, qui a tout misé sur l'éducation et obtenu que le diplôme de l'école secondaire de Kitigan Zibi soit reconnu par les collèges ontariens et québécois.

Alors, y croire, a tranché Laurie. Travailler pour la radio communautaire, puis pour les services de santé. Défendre le fait de scolariser ses enfants à l'intérieur de la communauté. Et élever Maisy l'adolescente. Maisy la couturière qui se confectionnait toute seule son costume de pow-wow, le *regalia* – Laurie m'a envoyé une photo de celui qu'elle s'était fabriqué à 12 ans, étoffes roses et violettes, motifs de fleurs et papillons –, qui aimait lire, adorait déguiser ses frère et sœur et décorer la maison pour les anniversaires. Mais Maisy qui buvait, fumait de la marijuana, broyait du noir,

chipait de l'argent à sa mère et voulait tout pla-
quer, à commencer par l'école.

— Elle m'a dit qu'elle prenait une année *off*,
raconte Laurie, un sourire au coin des yeux (Laurie
a toujours ce petit sourire ironique au coin des
yeux). À 15 ans…

On se parlait au-dessus d'un petit déjeuner, au
café Rialdo, à Maniwaki.

— Notre conflit a vraiment commencé parce
qu'elle m'a demandé si son amoureux pouvait
dormir à la maison. J'ai dit non, elle avait 15 ans,
c'était trop tôt pour moi. Elle est revenue à la
charge quelques semaines plus tard, un soir, alors
qu'il était là. J'ai dit non. «S'il doit partir, je pars
aussi», a dit Maisy. «Mais je t'en prie, va-t-en, à
plus tard.» Ma voix était impassible, rude. Ma fille
a fait ses bagages, et je me suis mise à pleurer
immédiatement après, pas devant elle.

Les services sociaux de la réserve sont venus à
la maison, à la demande de Laurie, pour révéler
que oui, la jeune fille avait le droit de partir, à
15 ans, mais ne bénéficierait d'aucune allocation,
d'aucune aide sociale. Et Maisy s'en est allée dans
la famille du charmant Derek, algonquin lui aussi,
avant de s'installer chez le jeune homme lui-même
qui était plus âgé qu'elle. Où ça? «En ville, quelque
part», dit Laurie, qui n'a pas envie de s'étendre sur
le sujet – en ville, c'est-à-dire à Maniwaki. En fait,
dans la rue principale, derrière la pizzeria, près de
l'hôpital.

— Je l'ai aidée un peu, financièrement, parce
que je voulais rester dans sa vie… On se voyait, et
on parlait beaucoup. Et puis, une fois qu'elle a eu

goûté à la réalité de la vie quotidienne, à l'autonomie… elle a déménagé chez ma mère. Il y a plus de liberté chez Little Grandma que chez moi. J'étais rassurée de la savoir sous son toit.

*
* *

La nuit est tombée sur le parc Nagishkodadiwin. Au micro, Bridget a demandé à Maisy et Shannon de rentrer à la maison. Les députés ont réclamé une enquête nationale sur les meurtres et disparitions de femmes autochtones – un serpent de mer, une revendication récurrente à laquelle le gouvernement Harper reste sourd. J'ai pris l'un des bus qui ramenaient les marcheurs tristes et silencieux sur le parking du Home Hardware. Bryan avait disparu.

IV

ROUTE 105, 12 AVRIL 2014

Un samedi midi, alors que la neige fondait et que les chevreuils sortaient des bois par dizaines, un Bryan sobre, souriant, peut-être allégé par l'arrivée de la tiédeur printanière, m'a accueillie chez lui, dans sa petite maison blanche posée sur des blocs de béton, le long de la route 105. Au moment de la disparition de sa fille Shannon, Bryan habitait en ville, à Maniwaki. Mais depuis, il avait déménagé dans la réserve, où il se sentait mieux. Shannon était présente, à sa manière, figurant sur un avis de recherche que Bryan avait accroché à droite de la porte d'entrée. J'avais mis des mois à oser le solliciter. J'appréhendais son alcoolisme, sa colère, sa violence, et j'avais peur de rouvrir les blessures avec mes questions.

Mes craintes étaient infondées. Bryan – grand, maigre, moustachu, les joues creuses et un nez de boxeur – ne faisait qu'un avec sa douleur ; la plaie était encore à vif ; je n'ouvrais rien. Si vous venez avec Maria, avait-il dit, il n'y a aucun problème. Maria Jacko est la tante de Maisy ; depuis la disparition des filles, elle et Bryan sont devenus amis.

Elle m'a accompagnée. Nous nous sommes assis tous les trois à la table de la cuisine. Et alors que Shannon risquait, depuis le début de l'enquête, d'être la jeune fille dans l'ombre, le personnage secondaire, celle dont le portrait serait le plus ténu, elle a pris vie dans la bouche de Bryan.

— Shannon est sortie avec un gars pendant six ou sept ans, Matt, un bon gars…

— Six ou sept ans ? Mais alors, elle avait 11 ans au début ?

— Oui ! Ils étaient ensemble, puis ils rompaient, puis ils se remettaient ensemble…

Bryan souriait doucement.

— Sa famille avait une ferme avec des chevaux… Le garçon était allergique aux chevaux, mais Shannon, elle, les montait. C'était une aventurière ! Je n'ai jamais pu l'arrêter. Je ne voulais pas l'arrêter. Shannon attendait toujours que je la punisse quand elle faisait une bêtise. Si elle cassait quelque chose, je lui disais : « C'est pas grave. » Alors elle me grondait : « Pourquoi tu ne me punis pas ? Les autres parents punissent leurs enfants ! » Je lui disais : « Non, je ne vais pas te punir. Si je te punis, tu vas aller dans ta chambre et sortir par la fenêtre. » Ça la rendait furieuse. Mais moi, mon père me tabassait quand j'étais petit, et je ne voulais pas répéter ça avec elle.

— Et elle voulait devenir infirmière, c'est ça ?

Bryan s'était levé et se versait du café.

— Non ! C'est moi qui voulais.

On a ri, Maria et moi.

— Elle ne savait pas ce qu'elle voulait faire… Les cadets voulaient qu'elle devienne officier.

C'était une très bonne tireuse d'élite, je lui avais appris à tirer. Mais elle ne voulait pas, elle savait que ce serait de grosses responsabilités. Elle a quitté les cadets.

Shannon était scolarisée à l'école anglophone de Maniwaki. « Une belle, belle, belle fille, très déterminée. Son père faisait ce qu'il pouvait. Elle était suivie par des travailleurs sociaux du Centre jeunesse », m'a-t-on glissé au téléphone. À 16 ans, Shannon s'était fâchée avec la directrice pour cause de mauvais résultats en français qui mettaient en péril l'obtention de son diplôme du secondaire. Bryan a commenté ainsi l'événement :

— Je lui ai dit : « Shannon, je te connais, je connais ton potentiel. Alors tu vas aller voir cette principale et lui annoncer que tu quittes cette école de merde. Parce que personne ne parle français à la maison, et il faut qu'on te foute la paix avec le français. » Et elle l'a fait. Et elle a insulté la directrice (il a éclaté de rire). Ensuite, je l'ai inscrite à l'école pour adultes et elle a eu son diplôme, elle a réussi l'épreuve de français !

Bryan avait raconté aux médias comment Shannon, alors âgée de 15 ans, avait un jour pris le bus pour Ottawa, suivi les indications d'amis et de parents qui vivaient à Vanier, le quartier dur de la capitale, et fini par trouver sa mère, Caroline, dans une fumerie de crack. « Ça l'a retournée. Shannon n'a plus jamais été la même. Elle est devenue plus calme[1] », avait-il ajouté. Caroline, une Inuite originaire d'Iqaluit, alcoolique et toxicomane,

1. Brendan Kennedy, « Without a Trace », *Ottawa Citizen*, 6 septembre 2009.

mère de cinq autres enfants mais ne vivant pas avec eux. Lorsque Bryan avait rempli un dossier pour la Missing Children Society of Canada, qui soutient les familles d'enfants disparus, il avait écrit à son propos : « adresse inconnue – elle vit dans un foyer à Ottawa ». J'ai voulu rencontrer Caroline, et Maria lui a passé le message ; mais Caroline n'a pas voulu.

Bryan est celui qui a vu grandir l'amitié entre Shannon et Maisy. « Maisy était très souvent à la maison, m'a-t-il expliqué, c'était facile depuis chez sa grand-mère, il suffisait de marcher le long du chemin de fer et hop, elle était chez nous. » Elles se connaissaient depuis longtemps, même si elles n'étaient pas dans la même école. Leur amitié était née, selon Bryan, d'un événement précis.

— Un jour, devant Shannon, une fille a voulu insulter Maisy en lui lançant qu'elle était lesbienne. Shannon est devenue son amie et sa protectrice. Elle a toujours défendu les gays. Si des jeunes emmerdaient Maisy, je te jure que Shannon leur tombait dessus, a-t-il dit à Maria, en souriant.

Maisy ne cachait pas sa bisexualité. Hormis Bryan, deux autres personnes – une amie, un membre de sa famille – l'ont évoquée devant moi. Après avoir quitté Derek, son petit ami, elle avait renoué avec une jeune fille blonde de son ancienne école, en Ontario, dont elle était ouvertement amoureuse. Elle lui rendait parfois visite. Ainsi, le qualificatif « *free-spirited* » fréquemment utilisé par ses parents et amis pour décrire Maisy (non conformiste, libre d'esprit) concernait aussi sa manière de vivre librement sa sexualité.

Shannon, également qualifiée de «*free-spirited*» (jusque dans le dossier rempli pour la Missing Children Society of Canada), était celle qui défendait le droit de vivre librement sa sexualité.

Et Bryan, aux premières loges de cette amitié adolescente, incandescente, en parlait comme si c'était hier, avec un perpétuel demi-sourire, une tendresse qui ne voulait pas s'effacer.

V

SUR LA COLLINE,
4 OCTOBRE 2013

Comme nous étions seuls dans les rues d'Ottawa, puis sur les marches du parlement ; notre petite troupe n'était entourée que de silence et de vent ; dans la capitale, au pied du pouvoir, nous manifestions dans le vide et dans l'indifférence. Je regarde mes photos et vidéos, et je vois les rues béantes, l'assistance clairsemée, les deux policiers à vélo en guise d'escorte ; mais les chants, mais les danses, les discours et les pleurs, la consolation d'être ensemble, comblaient le vide.

C'est ainsi tous les 4 octobre : une marche vers le parlement, ponctuée de chants et de danses, suivie de témoignages, en haut, devant une assistance réduite, mais pleine de ferveur. Ce 4 octobre-là, Laurie avait évoqué brièvement sa fille, fatiguée de dire et de redire. Elle n'en avait pas moins serré plusieurs fois dans ses bras des femmes qui, au micro, s'effondraient en racontant des histoires de corps aux bras et aux pieds attachés et qu'on avait retrouvés dans les eaux du Saint-Laurent, de jeunes femmes brûlées, d'autres tuées puis jetées au bord de la route, ou encore battues à mort par leur conjoint ; des histoires de mères qui s'étaient volatilisées.

C'était un rassemblement des familles d'Autochtones assassinées ou disparues. À dire vrai, il s'en tenait deux ce jour-là. À midi, un événement officiel était organisé par l'Association des femmes autochtones du Canada (AFAC), en présence de députés libéraux et néodémocrates, de représentants de l'Assemblée des Premières Nations. Le soir avait lieu l'événement communautaire, chapeauté par Families of Sisters in Spirit. Entre ces deux associations, il y avait scission idéologique, la seconde accusant la première d'être inféodée au gouvernement fédéral. Les familles avaient dû témoigner à deux reprises, à quelques heures d'intervalle ; avaient dû dire et redire.

«Sisters in Spirit», «Sœurs par l'esprit» : les assassinées et les disparues. «Celles qui nous ont quittés dans des circonstances dramatiques, et nous marchons à côté d'elles», m'avait expliqué Michèle Audette, alors présidente de l'AFAC. C'est aussi le nom de la banque de données de son association, qui comprend plus de 600 noms de femmes autochtones assassinées ou disparues. La tragédie a son *hashtag*, #MMIW (Missing and Murdered Indigenous Women), mais aussi ses rapports parlementaires, ses groupes de soutien et ateliers communautaires, ses réseaux sociaux, ses militantes, ses féministes, ses dissidentes, ses plaques commémoratives, ses villes et ses lieux tristement emblématiques, trous noirs du Canada – quartiers pauvres et violents, autoroutes désertes –, ses marches et ses rassemblements, partout dans le pays. *A mari usque ad mare.*

Les rassemblements de Sœurs par l'esprit ont lieu chaque année, le 4 octobre, depuis 2006[1] ; les « marches de la mémoire » se déroulent le 14 février, parce que les femmes autochtones de Vancouver ont commencé à honorer leurs nombreuses disparues le 14 février 1991. Un monde de luttes et de larmes aussi dense, lorsqu'on le découvre, qu'il est invisible aux yeux de la majorité des Canadiens[2].

Le pays, cependant, ne méconnaît pas la tragédie. L'assassinat de Tina Fontaine, en août 2014, l'agression de Rinelle Harper, en novembre, ont levé le voile sur la grande violence subie par les jeunes filles autochtones de Winnipeg, et réveillé une opinion publique jusqu'alors assoupie. La tragédie est incarnée par le Downtown Eastside de Vancouver (DTES), le quartier le plus pauvre du Canada ; et pas seulement le plus pauvre. Dans les

---

1. Jour-anniversaire de la mort de Gladys Tolley, la mère de Bridget, la militante de Kitigan Zibi et cofondatrice de Families of Sisters in Spirit. Gladys Tolley a été renversée par une voiture de la Sûreté du Québec (SQ) à Kitigan Zibi.

2. En 2013 et 2014, une dizaine de « marches de la mémoire » et une centaine de rassemblements Sœurs par l'esprit ont eu lieu au Canada, et même ailleurs. C'est un monde d'avis de recherche, de pétitions, d'installations artistiques, de trains bloqués par des manifestants, de cartes interactives macabres où sont ajoutés, jour après jour, les meurtres et les disparitions, de documents intitulés « boîte à outils » rédigés pour les communautés autochtones et le grand public par l'AFAC (« Présenter en classe le sujet des femmes et des filles autochtones disparues et assassinées », ou « Qu'est-ce que je peux faire pour aider les familles de femmes et de filles autochtones disparues ou assassinées ? »).

années 1990, on y comptait chaque jour un décès par overdose ; aujourd'hui, on y décèle les taux de sida et d'hépatite C parmi les plus élevés du monde occidental[3] ; une concentration exceptionnelle de pauvreté, de maladie et de violence. Parmi les nombreuses prostituées, généralement toxicomanes, du DTES, on dénombre une majorité de femmes autochtones. C'est là que Robert Pickton, le tueur en série, prélevait ses futures victimes ; là aussi que le nombre d'assassinats et de disparitions de prostituées, notamment autochtones, a fini, non sans lenteur, par déclencher une enquête policière spécifique, puis une commission d'enquête sur l'enquête.

Trois autoroutes du nord de la Colombie-Britannique, la 16, surnommée « l'autoroute des larmes » (Highway of Tears), mais aussi les autoroutes 5 et 97, incarnent elles aussi le phénomène. Entre 1969 et 2006, on y a comptabilisé 46 meurtres et disparitions de femmes, majoritairement autochtones. Nombre d'entre elles faisaient de l'autostop, faute de transports en commun suffisants et réguliers dans ces régions montagneuses et isolées. Un mois après les recommandations d'une commission d'enquête sur les meurtres de femmes autochtones[4] suggérant un financement plus élevé

---

3. Maryanne Pearce, *An Awkward Silence : Missing and Murdered Vulnerable Women and the Canadian Justice System*, Université d'Ottawa, Faculté de droit, 2013, p. 250, www.ruor.uottawa.ca/handle/10393/26299

4. La commission Oppal, également chargée de mettre à jour les lacunes policières dans les enquêtes sur les meurtres et disparitions dans le Downtown.

du transport en commun dans cette région, la compagnie de transports Greyhound annonçait qu'elle allait y réduire la fréquence de ses bus de 40 %. Dans sa thèse, Maryanne Pearce fait observer cette révoltante corrélation : l'indigence des transports collectifs entraîne l'impossibilité pour les jeunes Autochtones de la région (plus de 15 % des habitants du nord de la Colombie-Britannique sont autochtones) de trouver du travail ; leurs faibles revenus les empêchent d'acquérir une voiture ; sans voiture, ils font du stop et se mettent en danger. La GRC a tardivement pris la mesure de la situation et créé en 2009 un groupe d'investigateurs spécifiquement chargés des meurtres et disparitions de l'autoroute des larmes et des routes connexes. Dix-huit cas ont été choisis. Après des centaines de prélèvements d'ADN, plus de 2 000 interrogatoires, le groupe E-PANA a pu élucider les cas de trois jeunes femmes.

Ainsi, dans ce Vancouver régulièrement qualifié de ville la plus agréable à vivre au monde, dans cette Colombie-Britannique progressiste et écologique, voici qu'un ghetto, au sud, et une route de tous les dangers, au nord, font diversion.

De la même manière, de ce Canada de cocagne dont rêvent des aspirants à l'immigration du monde entier, où le consensus social est inhérent à l'identité nationale, où la criminalité est parmi les plus basses du monde, la tragédie des #MMIW constitue la face cachée.

Son tour est venu de s'exprimer, ce 4 octobre 2013, en haut des marches de la colline parlementaire, et Thomas Mulcair, chef de l'opposition officielle, le Nouveau Parti démocratique (NPD), dit ceci: «Le nombre de femmes dans la région d'Ottawa équivaut au nombre total de femmes autochtones au Canada. Si 600 femmes avaient disparu ou été assassinées à Ottawa, pensez-vous que nous aurions besoin de manifestations pour obtenir une enquête nationale?»

Il aurait pu ajouter que les femmes autochtones courent sept fois plus de risques de mourir assassinées que les femmes non autochtones[5]. Ou citer le décompte tenu par l'AFAC, ces 668 cas de femmes autochtones disparues ou assassinées de 1980 à 2013, dont la moitié avait moins de 31 ans[6]. Ou les 912 cas consignés par la chercheuse Maryanne Pearce[7], soit environ un quart des femmes assassinées ou disparues, sachant que les femmes autochtones ne représentent que 4,3 %

---

5. «De 1997 à 2000 [...] le taux d'homicide chez les femmes autochtones était de 5,4 pour 100 000 habitants, par rapport à 0,8 chez les femmes non autochtones (ce qui est presque 7 fois plus).» *Femmes au Canada: rapport statistique fondé sur le sexe*, 89-503-X, Statistique Canada.

6. «Au 31 mars 2010, 582 cas de femmes et fillès autochtones disparues et assassinées avaient été consignés dans la base de données de Sœurs par l'esprit par l'AFAC [NdÉ: sur une période de trente ans] [...] Plus de la moitié avaient moins de 31 ans.» Association des femmes autochtones du Canada, *Ce que leurs histoires nous disent. Résultats de l'initiative Sœurs par l'esprit*, 3e édition, mars 2010.

7. Maryanne Pearce, *An Awkward Silence, op. cit.* Le chiffre de 912 n'est pas celui figurant dans la thèse puisque Maryanne Pearce ajoute régulièrement des noms dans sa banque de données.

des femmes vivant au Canada[8]. Dans son rapport de 2009, *Assez de vies volées*, Amnesty International s'indigne : « Compte tenu du nombre relativement peu élevé d'Autochtones dans la population canadienne (1 million sur 34 millions d'habitants), et du faible taux de criminalité violente au Canada, ce chiffre est véritablement effroyable. »

Quelques mois après ce rassemblement, en mai 2014, la GRC a enfin publié ses propres chiffres, après une recension effectuée auprès de 300 services de police à travers le pays : 1 181 femmes autochtones ont disparu ou ont été assassinées entre 1980 et 2012. Elles représentent, comme on l'a vu, 23 % des femmes victimes d'homicides en 2012[9]. Sur ces 1 181 femmes, 1 017 sont mortes, 164 ont disparu. Le rapport, établi dans les rangs mêmes de cette police qui jusqu'alors refusait de croire aux chiffres, bien plus faibles, avancés par l'AFAC, a confirmé les pires craintes des militantes.

Mais le meilleur moyen de comprendre l'ampleur du phénomène, ce 4 octobre, c'était encore d'écouter Connie Greyeyes. Connie était là, en haut des mêmes marches, vibrante et désespérée.

---

8. Dans la province de la Saskatchewan, 60 % des femmes disparues sont des Autochtones, alors qu'elles ne représentent que 6 % de la population. *Provincial Partnership Committee on Missing Persons, Final Report,* octobre 2007. Cité par Amnesty International, *Assez de vies volées. Discrimination et violence contre les femmes autochtones au Canada : une réaction d'ensemble est nécessaire,* 2009.

9. Gendarmerie royale du Canada, *Les femmes autochtones disparues et assassinées : un aperçu opérationnel national,* mai 2014, www.rcmp-grc.gc.ca/pubs/mmaw-faapd-fra. pdf

Elle n'était pas venue du nord de la Colombie-Britannique pour raconter sa propre histoire d'enfant arrachée à ses parents, de jeune fille battue et violée plusieurs fois; mais celles de 11 de ses amies, voisines, tantes, cousines assassinées ou disparues. Onze. Son récit était stupéfiant. Peu d'entre nous peuvent dire qu'ils ont connu personnellement 11 personnes assassinées ou disparues[10]. Être Connie, c'est comme vivre en temps de guerre et voir disparaître et mourir des proches, des êtres chers, des connaissances; c'est vivre avec la peur au ventre.

*

* *

Ainsi, elles disparaissent; ainsi, elles meurent. Les filles et femmes autochtones sont des funambules qui avancent sans filet. La violence familiale, la violence dans les communautés, la violence de la rue, la violence sexuelle, la violence raciste, toutes les violences sont susceptibles de s'abattre sur elles et de les faire tomber.

Elles meurent sous les coups de leurs conjoints (Inusiq Akavak, 2000, Nunavut), de voisins ou connaissances (Chrystal Bearisto, 2002, Île-du-Prince-Édouard), de leurs cousins (Hilary Bonnell, 2009, Nouveau-Brunswick), mais aussi de tueurs en série (Brenda Wolfe, 1999, Colombie-Britannique). Elles meurent sur les routes où elles font de l'auto-stop (Ramona Wilson, 1994, Colombie-Britannique) ou du vélo (Monica Jack, 1978, Colombie-Britannique); elles meurent parce

---

10. Son témoignage figure en annexe, p. 207.

qu'elles marchent seules dans la rue et ont l'outre-cuidance d'être autochtones (Helen Betty Osborne, 1971, Manitoba). Leurs corps ont été retrouvés chez elles (Joanne Ghostkeeper, 1996, Alberta), dans la montagne (Lynn Jackson, 2004, Alberta), dans un cimetière abandonné (Charlene Orshalak, 1988, Manitoba), dans une décharge (Courtney Johnstone, 2014, Alberta), dans un sac de hockey (Loretta Saunders, 2014, Nouveau-Brunswick), dans un canal gelé (Sandra Kaye Jackson, 1992, Ontario), sous un pont (Tiffany Morrison, 2006, Québec), dans un sac-poubelle (Carolyn Sinclair, 2012, Manitoba), sur la rive d'un fleuve (Cynthia Mass, 2010, Colombie-Britannique), dans le creux d'un ruisseau (Cherisse Houle, 2009, Manitoba), dans un sac flottant sur la rivière (Tina Fontaine, 2014, Saskatchewan). Elles ont été poignardées (Tara Chartrand, 2012, Saskatchewan), battues à mort (Amanda Jane Cook, 1996, Manitoba), frappées à la tête (Chelsey Acorn, 2005, Colombie-Britannique), brûlées vives (Joyce Cardinal, 1994, Alberta), tuées par balle (Elisapi Assapa, 2003, Nunavut), noyées (Alacie Nowrakudluk, 1994, Québec). Certaines familles pleurent deux sœurs (Ginger et Deanna Bellerose, 2001 et 2002, Alberta); deux cousines (Cecilia et Delphine Nikal, 1989 et 1990, Colombie-Britannique)[11]; une tante et sa nièce (Glenda et Kelly Morrisseau, 1991 et 2006, Manitoba et Québec); une grand-tante et sa petite

---

11. Les cousines Nikal sont portées disparues.

nièce (Tina Fontaine et Cheryl Duck, 2014 et 1988, Manitoba)[12].

Et trop souvent, c'est le grand rien. Pas de traces, pas de corps (Maisy Odjick et Shannon Alexander, 2008, Québec). C'est le point d'interrogation qui vrille l'estomac des mères, des pères, des frères, des sœurs et des cousins ; les familles se débattent, enquêtent parfois en lieu et place des policiers, protestent contre le peu d'attention qui leur est accordé, mais leurs cris sont comme absorbés par un Canada ouaté, feutré, qui s'accommode de la misère des Autochtones.

Le silence.

Le pays s'est longtemps bercé de l'idée que ce n'était qu'une succession de faits divers, survenant dans des communautés où l'on s'autodétruit. Amnesty International a renversé la perspective en 2004, avec son rapport intitulé *On a volé la vie de nos sœurs.* «Il n'y avait aucun doute que c'était une tragédie», m'a dit Craig Benjamin, chargé des droits autochtones à Amnesty. «Mais est-ce que cela relevait des droits humains ? Nous avons conclu que oui. On pouvait individualiser chaque meurtre ou chaque meurtrier, mais la problématique était bien plus large, et le gouvernement échouait à prendre les mesures appropriées.»

*

* *

---

12. Sources de la liste : archivage personnel d'articles, témoignages recueillis lors des veilles, données du Winnipeg Free Press sur les meurtres et disparitions au Manitoba, Maryanne Pearce, *An Awkward Silence, op. cit.*

— Est-ce que, toi et Maisy, vous parliez de politique ?

Laurie a éclaté de son grand rire réjouissant. C'était un matin d'hiver brumeux et glacé, fèves au lard pour elle, pancakes au sirop d'érable pour moi. On parlait la bouche pleine et les serveuses nous interrompaient toutes les cinq minutes pour remplir de café la tasse de Laurie. Sur la télé du restaurant passait un reportage sur une femme autochtone assassinée, Tricia Boisvert. On venait de retrouver son corps dans la région.

— La politique ? Non. Maisy était centrée sur elle-même, comme tous les ados. Moi, moi, moi (rire de Laurie). Mais oui, elle savait quand même certaines choses.

— Sur la situation sociale des Autochtones, les réserves…

— Oui, bien sûr. Mais on ne parlait pas politique. Moi-même, je ne m'y suis jamais vraiment intéressée avant sa disparition.

*

* *

J'aime bien le mot anglais *empowerment*. Les traductions en français ne sont pas très satisfaisantes : autonomisation, responsabilisation, renforcement… En écoutant ces mères autochtones interpeller la classe politique en général et le premier ministre, notoirement indifférent à la cause, en particulier ; en observant Laurie, repérée pour sa force d'âme et son éloquence, participer aux conférences de presse, encadrer les familles de disparues pendant leurs rencontres, témoigner face au premier ministre ou devant la Commission internationale des droits de l'homme à Washington, c'est le mot *empowerment* qui me vient à l'esprit. Quelque chose qui dit : « Je n'ai plus peur. Je veux me battre, puisqu'on ne se battra pas pour moi. »

— Je savais, pour les femmes disparues, mais je ne pensais pas qu'un jour je me retrouverais sur la colline avec une photo de ma fille… Je ne pensais pas que ça pouvait m'arriver. J'avais vu ces mères avec les photos de leurs filles… Et me voilà…

Maisy disparue a fait de sa mère une combattante. Laurie monte sur la colline parlementaire une ou deux fois par an, entourée de membres de la communauté – et ce 4 octobre comme d'autres 4 octobre, Kitigan Zibi était présent en force, son chef, les élues du conseil de bande, Bridget la militante, des membres de la communauté qui travaillaient à l'AFAC, à Ottawa. Les photos et vidéos de Laurie sur les marches du parlement, année après année, accompagnée de son mari Mark, parfois de Bryan, ou de Damon, visage durci ou bouleversé, demandant des comptes à la police, clamant « Honte au Canada, honte au Canada qui essaie d'enterrer une autre tragédie ! », une allusion aux pensionnats indiens, témoignent de sa persévérance.

Ne jamais abandonner, ne jamais lâcher, ne jamais oublier, ne jamais se taire, ne jamais sombrer, ne jamais laisser personne parler pour soi : *empowerment*.

VI

AU TIGRE GÉANT, AOÛT 2008

En cette fin d'été 2008, parce qu'elles s'apprêtaient à reprendre l'école – Maisy au centre d'éducation pour adultes de Maniwaki afin de décrocher son diplôme du secondaire, après son année *off*; Shannon à l'école d'infirmières de Mont-Laurier –, les filles ont décidé de se couper les cheveux. Était-ce concerté? De ces pulsions gémellaires propres aux amitiés adolescentes? Leurs visages de garçonnes figurent sur un article du *Ottawa Citizen*; Maisy avec une mèche sur l'œil, sourcil levé, moqueuse; Shannon souriant dans le soleil, sourcils épilés. Les grands-mères se souviennent.

— Shannon avait toujours eu les cheveux longs, mais elle m'a dit qu'elle voulait se concentrer sur ses études et ne pas avoir à s'en occuper. Alors elle les a fait couper très court et elle était si jolie comme ça, dit Pam.

— Avant, j'étais coiffeuse, mais je suis devenue allergique aux produits qu'on utilise pour les permanentes, raconte Lisa. Quand on est revenues du jour de la Famille, le pique-nique annuel au bord du lac, Maisy m'a demandé de lui couper les cheveux. Elle voulait se débarrasser de sa longue chevelure épaisse avant la rentrée. Elle disait que ça lui donnait mal à la tête. Regarde cette photo !

Le cliché datait probablement du 30 août 2008. La veille ou l'avant-veille, Lisa avait emmené Maisy à la foire agricole de Shawville, près de la frontière ontarienne, à deux heures de route ; j'imaginais la grande Maisy et sa Little Grandma déambulant dans la fête foraine, assistant au spectacle équestre, au concours de volailles ou au *derby* de démolition de voitures ; faisant le tour des machines agricoles, des vaches et des bouvillons.

— En revenant de Shawville, on est allées acheter des vêtements au Giant Tiger, Tigre géant, a-t-elle traduit dans un même souffle.

Tigre géant, dans la rue principale de Maniwaki ; de ces magasins-hangars aux lumières crues où l'on trouve des vêtements bon marché. Lisa avait offert à Maisy « des pantalons, une paire de shorts, une jupe, des bas, un petit gilet ». Elle se souvenait de tout. « Pour augmenter son linge, pour être capable d'aller à l'école », a-t-elle anglicisé. « Nous avons croisé Shannon. Elle était là, dans le magasin. »

Un matin d'hiver, je suis allée m'acheter des gants et des chaussettes au Tigre géant. J'ai demandé à la caissière si elle connaissait l'histoire de Shannon et Maisy : oui, bien sûr, les petites filles qui ont disparu, a-t-elle dit. J'ai eu envie d'ajouter, puis je l'ai fait, que les filles avaient parlé, ici, au milieu des rayons, quelques jours avant leur disparition. Oh, a dit la caissière. Je me figurais Shannon ou Maisy face au miroir, la tête tordue pour voir comment la jupe tombait sur les fesses. Je voulais raviver leur souvenir. Je voulais que les vendeuses en parlent entre elles.

Avec le recul, il semblait à Lisa qu'elle avait découvert à ce moment seulement, une semaine avant le 6 septembre 2008, que les filles étaient proches. Leur amitié fusionnelle semblait s'être développée à l'abri de tout regard, hormis celui de Bryan qui disait voir Maisy tous les jours depuis six mois. La police de Kitigan Zibi, comme les enquêteurs bénévoles de la Missing Children Society of Canada, avaient eu toutes les peines du monde à rassembler des informations sur leurs activités, même auprès des jeunes de leur âge. Le journaliste du *Ottawa Citizen*, Brendan Kennedy, écrivait cependant ceci à propos de Maisy: « Les amis disent que l'été précédant la disparition avait semblé difficile pour l'adolescente [...]. [Son amie] M. dit que Maisy s'éloignait de ses plus proches amis. Son humeur était de plus en plus maussade. Selon certaines rumeurs, elle prenait des drogues dures[1]. » L'hypothèse n'a jamais été étayée.

*

* *

Chercher des causes à leur disparition (mauvaises fréquentations à cause de la drogue, par exemple), c'était, ai-je compris au fil des mois, entrer dans un champ politique et délicat. Depuis des années, les militantes se battent contre le discours policier qui

---

1. Brendan Kennedy, « Without a Trace », *loc. cit.*

attribue aux jeunes femmes autochtones des « comportements à risque » : auto-stop, toxicomanie, errance, prostitution. Un autre mot gagne du terrain, qui obtient la faveur des organisations de femmes autochtones. C'est le mot « vulnérabilité ». Contrairement à ceux qui reprochent implicitement aux femmes, aux disparues, aux mortes, d'avoir opté pour une vie dangereuse et d'en avoir payé les conséquences, on suggère que cette vie-là n'a pas été choisie, et qu'elle est le fruit d'une fragilité sociale et historique. Bien sûr, le concept de « comportements à risque » est utile pour la police. La GRC, en collaboration avec les polices provinciales, a créé des brigades spéciales pour élucider les meurtres et disparitions de prostituées dans les villes des Prairies, et d'auto-stoppeuses le long de l'autoroute des larmes. Mais la propagation de cette terminologie pousse les médias à associer les décès des femmes autochtones à des comportements à risque, et singulièrement à la prostitution, même quand ce n'est pas le cas – 80 % des femmes autochtones assassinées ou disparues recensées par la chercheuse Maryanne Pearce n'étaient pas impliquées dans la prostitution.

Cette approche a longtemps criminalisé les victimes et permis de faire l'impasse sur les racines du mal, sur la situation spécifique des presque 700 000 Amérindiennes – membres des Premières Nations, Inuites et Métisses – comparée à celle des autres femmes du Canada. Elles ont une espérance de vie de cinq à dix ans plus courte. Des revenus de 30 % inférieurs. Sont deux fois plus souvent monoparentales. Deux fois plus au chômage. Trois fois plus victimes de violence conjugale. Trois fois plus susceptibles de contracter le sida. Quatre fois plus susceptibles d'être enceintes entre 15 et 19 ans. Ont cinq fois plus de risques de vivre dans un logement surpeuplé. Encourent sept fois plus le risque d'être assassinées. Il y a huit fois plus de crimes violents dans les réserves que dans le reste du pays. Mais la violence touche tout autant les femmes autochtones, majoritaires, qui vivent hors réserve[2].

Vulnérables, où qu'elles soient. Vulnérables, dans les communautés – certaines, qui sont sans eau potable, dont les logements surpeuplés moisissent et se décomposent, où se déclenchent chez les jeunes gens de véritables épidémies de suicide[3], offrent un spectacle de désolation digne du

2. Maryanne Pearce, *An Awkward Silence, op. cit.* (ces chiffres cités par Maryanne Pearce sont issus des études de Statistique Canada) ; Rapport annuel de l'Enquêteur correctionnel du Canada, novembre 2013 ; Amnesty International, *Assez de vies volées, op. cit.* (les chiffres d'Amnesty sont issus des études suivantes : Janet Smylie et Paul Adomako (dir.), *Indigenous Children's Health Report : Health Assessment in Action,* Centre for Research on Inner City Health, 2009 ; *Peuples autochtones du Canada en 2006 : Inuits, Métis et Premières Nations,* recensement de 2006, Statistique Canada) ; Jodi-Anne Brzozowski, Andrea Taylor-Butts et Sara Johnson, « La victimisation et la criminalité chez les peuples autochtones du Canada », *Juristat,* vol. 26, n° 3, Centre canadien de la statistique juridique, 2006 ; Vivian O'Donnell et Susan Wallace, *Les femmes des Premières Nations, les Métisses et les Inuites,* Statistique Canada.

3. Carey Marsden, « First Nations Community Calls for Help After String of Youth Suicides », *globalnews.ca,* 29 avril 2014, www.globalnews.ca/news/1299917/first-nations-community-calls-for-help-after-string-of-youth-suicides

tiers-monde – jusqu'aux quartiers pauvres des grandes villes.

*

* *

Longtemps, j'ai pensé qu'il fallait distinguer la violence conjugale, familiale et communautaire de la violence «extérieure», celles des prédateurs sexuels, des tueurs en série, des trafiquants de drogue, des proxénètes, des gangs de rue; qu'il y avait la violence sociale et la violence raciale. Je me trompais. C'est un continuum. Un matin neigeux de mars 2014, j'ai reçu un courriel de Val Napoleon, une enseignante de l'Université de Victoria, en Colombie-Britannique. Dix ans plus tôt, un projet de recherche l'avait menée dans les réserves situées à proximité de l'autoroute des larmes, où elle circulait régulièrement.

> Un jour, à la sortie de Prince George, j'ai vu, horrifiée, deux jeunes femmes autochtones qui faisaient du pouce. Je me suis arrêtée pour les prendre. Puis je leur ai dit: «Vous ne savez pas que cette autoroute s'appelle l'autoroute des larmes? C'est trop dangereux de faire de l'auto-stop ici!» Elles m'ont toutes les deux regardée. Visages jeunes. L'une avait l'air las de celles qui en ont trop vu. L'autre était calme et timide. Celle qui en avait trop vu, appelons-la Ronnie, m'a expliqué qu'elle était une auto-stoppeuse expérimentée, qu'elle faisait ça depuis des années. Elle connaissait tous les conducteurs de camions et ils la connaissaient tous. Elle connaissait les routes, elle savait éviter le danger. Elles étaient parties en stop de

Vancouver pour rejoindre leur communauté dans le nord-ouest de la province. Elles étaient sur la route depuis plusieurs jours déjà. Elle m'a dit que son amie, appelons-la Ella, n'avait jamais voyagé en auto-stop, et qu'elle l'accompagnait pour cette raison, pour garder un œil sur elle. Ella se rendait dans leur communauté pour une raison familiale et n'avait pas assez d'argent pour voyager autrement. Et puis Ronnie a ajouté : « De toute façon, c'est plus sûr de faire de l'auto-stop que de vivre dans notre communauté. C'est là-bas que c'est vraiment dangereux pour nous. On rentre à Vancouver dès qu'Ella en aura terminé. » Et nous avons roulé pendant des heures et des centaines de kilomètres. Quand je me suis arrêtée, elles sont sorties de la voiture pour continuer leur voyage. Il n'y avait rien à dire, mon cœur était trop lourd.

Ainsi la violence et la pauvreté avaient poussé « Ella » et « Ronnie » à quitter leur communauté pour rejoindre la grande ville, à des centaines de kilomètres au sud. Ainsi sans doute vivotaient-elles à Vancouver, peut-être dans le Downtown Eastside. Ainsi se sentaient-elles davantage en sécurité sur l'autoroute des larmes, ce cimetière d'auto-stoppeuses autochtones, que dans leur réserve, là-bas, dans le Nord-Ouest.

C'était ça, l'enchaînement des vulnérabilités.

Les associations parlent aussi de cercle vicieux. « Faute de logements et de foyers d'hébergement à proximité (11 foyers pour les 52 communautés autochtones québécoises, par exemple), celles qui vivent en situation de violence n'ont souvent nulle part où aller », m'a expliqué Alana Boileau, la coordinatrice du dossier justice et sécurité publique à

Femmes autochtones du Québec (FAQ). « Par peur de faire l'objet d'un signalement et de se voir injustement enlever leurs enfants par les services sociaux, les femmes ne portent pas toujours plainte. Si leurs enfants sont placés, les femmes ont peu de temps et peu d'aide pour améliorer leur situation avant de les perdre de façon permanente. Quand une femme est déjà aux prises avec un problème de toxicomanie ou d'alcool, le fait d'avoir perdu ses enfants aggrave la situation. » L'étape suivante, c'est parfois la fuite en ville, à la merci des prédateurs. Chaque étape rend la femme plus fragile, plus facile à blesser, à violer, à tuer. La vulnérabilité appelle la vulnérabilité. Les ressources mentales s'amenuisent. Le corps n'a plus d'importance. La mort est en embuscade. L'aide sociale inadéquate et l'apathie médiatique renforcent cette hyperfragilité.

Les femmes autochtones ne sont pas les seules concernées, mais elles sont surreprésentées dans cette cohorte livide et silencieuse.

Fétus de paille, brindilles, flocons de neige, éphémères, invisibles.

*

* *

Le rapport de la GRC publié en mai 2014[4] suggère le type d'environnement – criminogène, violent – dans lequel vivaient les 1 017 femmes autochtones assassinées entre 1980 et 2012. Plus souvent que

---

4. Gendarmerie royale du Canada, *Les femmes autochtones disparues et assassinées: un aperçu opérationnel national, op. cit.*

pour les victimes non autochtones, les infractions associées aux meurtres étaient des agressions sexuelles. Les meurtriers des femmes autochtones étaient beaucoup plus nombreux à avoir déjà commis des infractions avec violence ; à avoir consommé alcool ou drogue au moment du crime. Les victimes autochtones elles-mêmes étaient 63 % à avoir consommé alcool et drogues avant de mourir, contre 20 % des victimes non autochtones. On apprenait aussi qu'elles étaient, au moment de leur mort, 18 % à subvenir à leurs besoins par des moyens illégaux, contre 8 % des autres femmes victimes d'homicide.

Peu à peu, au fil des rapports et des révélations, ce qui paraissait obscur s'est éclairci ; le rapport de la GRC révélait que, comme pour la moyenne de toutes les femmes assassinées, 90 % des meurtriers de femmes autochtones étaient connus de leurs victimes ; ainsi, c'est la surreprésentation de femmes autochtones et leur nombre qui sont effroyables, plus encore que les circonstances des meurtres.

Elles meurent d'abord parce qu'elles vivent dans des quartiers pauvres et violents. Elles sont majoritairement tuées par des hommes qu'elles connaissent (et pas seulement leurs maris), autochtones par la force des choses – leur entourage immédiat –, mais aussi non autochtones dans les quartiers urbains. Le rapport de la GRC révèle un aspect essentiel : les femmes autochtones meurent d'abord parce qu'elles vivent dans des quartiers pauvres et violents. On le devine à ces chiffres troublants : comparativement aux victimes non-autochtones, elles sont davantage tuées par des

« connaissances » (30% pour les femmes autochtones, 19% pour les non-autochtones). Les « connaissances », soit « les amis proches, les voisins, les figures d'autorité, les relations d'affaires, les relations criminelles et les simples connaissances », selon la définition de la GRC. On ne compte pas ici les conjoints et ex-conjoints. Tout indique, donc, qu'elles sont environnées d'hommes violents, certes chez elles, mais aussi dans leur voisinage. Singularité remarquable. Leurs meurtriers sont certainement autochtones (notamment dans les réserves) mais aussi non-autochtones (dans les quartiers urbains). Et cette violence qui semble essentiellement sociale a pour racines la violence raciale exercée contre les Premières Nations du Canada depuis le xvie siècle.

L'identité autochtone m'est apparue comme étant à la fois un des facteurs de vulnérabilité – comme le fait de vivre dans un milieu violent, ou d'être sans-abri, ou toxicomane – et la cause même de toutes ces vulnérabilités.

*
* *

Maisy et Shannon, les aimées, les joyeuses, avaient certes entamé ce chemin-là. À leur tour, elles jouaient les funambules. Maisy, la déscolarisée, la rebelle, avait pourtant derrière elle une famille solide. Shannon portait le poids de ses parents en détresse, de sa petite enfance chaotique, mais son père l'adorait. Emportées au début de cette pente glissante ; fauchées en pleine transgression adolescente, boire, fumer, se teindre les cheveux en bleu,

dormir le jour ; tombées du fil alors qu'elles prépa-
raient la rentrée scolaire.

— Shannon était tellement contente d'avoir
été acceptée à Mont-Laurier, se remémore Pam.
« Grand-mère ! Ça a marché ! » m'a-t-elle dit. La
rentrée était en octobre. J'ai donné de l'argent à
Bryan pour qu'il lui achète ce dont elle avait
besoin. Il lui a acheté des vêtements. Il lui a acheté
une nouvelle valise. Il lui a acheté un ordinateur et
son étui. Il lui a acheté un téléphone cellulaire.

C'est la dernière chose que Pam ait pu faire
pour Shannon. Et tous ces objets porteurs d'une
nouvelle vie, qui témoignaient des espoirs de la
jeune fille d'échapper au destin de ses parents, qui
disaient son envie de quitter la petite ville, cheveux
courts, légère et délivrée, tous ces objets sont restés
dans l'appartement le soir de sa disparition.

SEPT-ÎLES, 20 MARS 2014

Michèle Audette a été présidente de l'AFAC jusqu'à décembre 2014. Fille d'une Innue de la Côte-Nord et d'un Québécois, elle est mère de cinq enfants, militante de longue date pour la cause des femmes autochtones, ancienne sous-ministre du secrétariat à la Condition féminine du Québec ; belle, brillante, imprévisible. Elle partage sa vie entre Ottawa et Uashat-Maliotenam, sa communauté.

— Bon, si tu étais nommée première ministre du Canada, quels seraient tes premiers gestes pour les femmes autochtones ?

Michèle était à Sept-Îles, la ville voisine de la réserve d'Uashat, en train d'acheter des verres de contact. Elle me parlait sur son cellulaire, interrompue de temps à autre par la vendeuse. Tutoiement de rigueur, familiarité immédiate, même à des centaines de kilomètres de distance, pour cause d'obsessions communes.

— Il y a trois exercices à faire, qui sont coûteux. Le premier, c'est une enquête publique indépendante sur les meurtres et les disparitions, plus profonde et plus dense que le travail des commissions parlementaires, une enquête qui doit être menée par des experts, avec notre association et les familles, pour mettre à jour toutes les failles législatives, communautaires, sociales. Arrêtons de respirer, mettons ça très vite en place, pour construire ensuite un plan d'action. Le deuxième exercice, c'est de multiplier les foyers d'hébergement et les « maisons de seconde étape », des lieux de réinsertion sociale et économique créés pour les femmes autochtones. D'abord, tu te protèges de ton conjoint violent, ensuite tu passes à l'étape suivante. Tu connais l'histoire de cette femme inuite assassinée avec ses deux enfants par son mari, quelques heures après qu'on lui a refusé une place dans un foyer (Vivian Enuaraq, 2011, Québec)? C'est dégueulasse. Le troisième exercice, c'est de guérir nos hommes de leur violence.

Je pensais que Michèle Audette serait de celles qui refusent, pour des raisons identitaires et stratégiques, de s'appesantir sur la violence domestique autochtone. J'avais tort. C'est ce qu'elle a abordé, sans tabou, en premier lieu. Elle a dit le reste aussi, racontant ces femmes inuites venues se faire soigner dans les grandes villes du Sud, et qui sont cueillies à l'aéroport par des *pimps,* des proxénètes, qui leur promettent monts et merveilles. Elle m'a rappelé l'histoire de cette mère de famille d'une trentaine d'années, originaire de Thunder Bay en Ontario, enlevée, violée, battue et laissée pour morte en décembre 2012 par deux hommes blancs qui, affirmait la victime, avaient hurlé leur racisme et leur haine des traités et des droits obtenus par les communautés autochtones.

Michèle s'est souvenue du silence radio du gouvernement Harper après l'agression et de son empressement à disserter sur l'atrocité du viol collectif en Inde qui avait fait la une dans les médias du monde entier, au même moment.

*

* *

Elle a parlé, aussi, d'un *momentum*. Elle sentait qu'enfin, en cet hiver interminable, quelque chose se profilait, de l'ordre de l'écœurement et de l'action. Le vent s'était levé. On avait vu quatre femmes de la Saskatchewan lancer le mouvement social autochtone Idle No More (L'inertie, c'est fini), parmi les plus importants qu'ait connus l'Amérique du Nord, pour s'opposer aux nouvelles lois anti-environnementales du gouvernement Harper, mais aussi aux instances autochtones officielles coupables de compromis avec le pouvoir fédéral qualifié de colonial ; on avait vu des femmes micmaques au Nouveau-Brunswick et des femmes innues au Québec bloquer des routes pour protester contre l'exploitation des ressources naturelles à proximité de leurs communautés, jupes traditionnelles et tambours battants, parfois à l'encontre de leurs propres conseils de bande et de leurs maris, plus enclins à négocier.

On avait vu la cheffe d'une réserve isolée du Nord ontarien observer une grève de la faim, couchée sous un tipi à quelques encablures des bureaux du premier ministre, pour dénoncer les conditions de logement des membres de sa communauté. La nécessité de venir à bout de la violence contre les femmes amérindiennes était de toutes les revendications, tant du côté des grandes organisations autochtones subventionnées – l'Assemblée des Premières Nations, l'AFAC – que des mouvements *grassroots*, issus de la base. Tout semblait inextricablement lié : le mépris du gouvernement et de l'industrie du pétrole et du gaz pour les traités et les territoires des Premières Nations, l'inefficacité, la dilution, l'inadaptation et parfois la maigreur des subsides fédéraux censés soutenir les réserves, le délitement social et psychique des communautés et les cercles vicieux qui mènent à la violence contre les femmes. Les intellectuelles autochtones – Lee Maracle, Leanne Simpson, Andrea Landry, pour ne nommer qu'elles – écrivaient, rageaient, conceptualisaient, théorisaient, associant les attaques faites au corps des femmes à celles qui visaient les terres des Premières Nations[1]. J'ai découvert un féminisme autochtone distinct, délié, radical, fondé sur l'idée de décolonisation et sur le retour de l'équité homme femme qui prévalait dans les Premières Nations avant le grand débarquement européen, un demi-millénaire plus tôt.

Momentum, disait-elle. L'année 2013 a été ponctuée d'alertes, de rapports et de rappels à l'ordre du gouvernement Harper sur la tragédie des #MMIW. L'organisation non gouvernementale Human Rights Watch (HRW) a rendu public un rapport accablant sur la manière dont la GRC traite

---

1. Leanne Simpson, « Not Murdered and Not Missing », *nationsrising.org,* 5 mars 2014, www.nationsrising.org/not-murdered-and-not-missing

les femmes autochtones dans le nord de la Colombie-Britannique – il était question de défaillances, de graves négligences et même de violences commises par la police contre les femmes[2]. La commission Oppal sur les femmes disparues du Downtown Eastside à Vancouver a publié son rapport, *Forsaken* (Abandonnées), jugeant sévèrement les ratés de l'investigation policière, attribués notamment au racisme, conscient ou inconscient, des enquêteurs. Les premiers ministres de toutes les provinces et de tous les territoires du Canada ont réclamé une enquête publique et nationale. La Commission interaméricaine des droits de l'homme a envoyé une équipe pour enquêter sur le même sujet, au cœur de cet été 2013. Le Conseil des droits de l'homme de l'ONU a exhorté le Canada à effectuer un « examen national ». Le rapporteur spécial de l'ONU pour les droits des peuples autochtones, James Anaya, en voyage au Canada, s'est alarmé « du phénomène perturbant des femmes autochtones disparues et assassinées sous les coups de meurtriers autochtones et non autochtones, dont les cas ont tendance à être moins résolus que ceux concernant des victimes non autochtones[3] ». Tout cela au cours d'une même année. Comment a réagi le gouvernement fédéral ? En citadelle assiégée,

---

2. Human Rights Watch, *Ceux qui nous emmènent. Abus policiers et lacunes dans la protection des femmes et filles autochtones dans le nord de la Colombie-Britannique, Canada*, 13 février 2013, www.hrw.org/fr/reports/2013/02/13/ceux-qui-nous-emmenent-0

3. Antonia Zerbisias, « Three Women, Three Deaths, One Thing in Common », *Toronto Star*, 19 janvier 2014.

mais sûre de son bon droit, rejetant l'appel du Conseil des droits de l'homme de l'ONU au motif que certains des pays signataires – Cuba, l'Iran, la Russie – n'étaient pas des modèles en matière de droits de la personne[4]. Il a fait le gros dos en attendant que ça passe et opposé à ses détracteurs des mesures déjà en place ou en voie de l'être – le Centre national de soutien policier pour les personnes disparues[5], l'amélioration du statut matrimonial des femmes dans les réserves, la diffusion de livrets sur «l'importance de réduire le cycle intergénérationnel de la violence», le recueil et la diffusion de bonnes pratiques des collectivités autochtones pour améliorer la sécurité des femmes, ou ces 25 millions de dollars sur 5 ans supposés mettre fin à la violence dans les communautés.

*

* *

Momentum. Le meurtre de Loretta Saunders, en février 2014, a fait l'objet d'échanges vigoureux à la Chambre des communes et déclenché une série d'articles radicaux sur les blogs autochtones et féministes autochtones. Loretta avait 26 ans, était enceinte de trois mois. Elle était inuite et étudiait à

---

4. Mike Blanchfield, «Canada Rejects UN Rights Review of Violence Against Aboriginal Women», *Toronto Star,* 19 septembre 2013.

5. En 2010, le financement alloué au programme Sœurs par l'esprit, qui permettait à l'AFAC d'enquêter sur les femmes autochtones assassinées ou disparues, a été attribué à ce Centre national.

l'Université St. Mary, à Halifax, à 2 000 kilomètres de sa petite ville natale du Labrador. Elle écrivait une thèse sur les femmes autochtones disparues et assassinées. Elle a été tuée, pense la police, le 13 février, soit le jour de la remise d'une pétition de 23 000 signatures réclamant une enquête nationale, et la veille des marches commémoratives annuelles à travers le pays.

La symbolique dépassait l'entendement.

Mais Loretta, de mère inuite et de père métis, était blonde comme les blés, yeux bleus, visage ravissant d'icône WASP hollywoodienne. Ses deux colocataires et meurtriers présumés, un jeune couple de marginaux au parcours chaotique, l'auraient assassinée alors qu'elle réclamait leur part du loyer. J'ai cru pendant plusieurs semaines que ce fait divers terrible était sans lien avec la problématique autochtone ; j'ai douté avec d'autres de la manière dont il était brandi. Et puis j'ai découvert que Loretta avait quitté sa famille à 15 ans et passé plusieurs années (plusieurs années....) dans les rues de Montréal – on ignorait dans quelles conditions exactement, sinon qu'elle s'était trouvée « dans certaines situations effrayantes », avait raconté sa sœur[6] –, et qu'elle avait fini par rentrer au Labrador, maigre, épuisée. Ainsi, malgré ses yeux clairs et ses taches de rousseur, malgré une famille aimante et si solide qu'elle était aussi famille d'accueil pour d'autres enfants, malgré tout cela, Loretta avait hérité du mal-être qui traverse les générations et

6. Melinda Maldonado, « Loretta Barbara Grace Saunders, 1987-2014 », *McLean's*, 22 mars 2014, www.macleans.ca/society/loretta-barbara-grace-saunders-1987-2014

les communautés amérindiennes. Spectaculairement résiliente, et alors qu'elle continuait à se battre contre sa toxicomanie, elle s'était remise à niveau au point de rejoindre l'université, en étudiante brillante[7]. Elle racontait à sa famille combien elle s'identifiait à son sujet de thèse. « Elle se voyait dans les statistiques. Elle me voyait, a témoigné sa sœur. Elle voyait celles avec qui nous avions grandi. » Manquant d'argent, elle avait choisi de partager son appartement avec deux quasi-inconnus : et c'est récurrent, dans les témoignages des familles, cette confiance aveugle que les filles fragiles accordent aux premiers venus. Si bien que le meurtre de la blonde Loretta est le reflet d'une vulnérabilité reçue en héritage et constitue, aux yeux des militantes, l'exemple même de la tragédie en cours. Il dit aussi que la réussite sociale ou ses prémisses ne protègent pas, ou pas toujours.

Son corps a été retrouvé au Nouveau-Brunswick treize jours après sa disparition, dans un sac de hockey couvert de neige, au bord de l'autoroute transcanadienne. Un *hashtag* a fleuri sur les sites militants et les réseaux sociaux : *#ItEndsHere*. C'est ici que ça s'arrête.

Trois semaines plus tard est sorti un rapport parlementaire très attendu, *Femmes invisibles : un appel à l'action*. Les députés libéraux avaient arraché à la majorité conservatrice un comité spécial sur les violences faites aux femmes autochtones

---

7. Darryl Leroux, « Loretta Saunders : Courage, Strength, and Resilience », *Halifax Media Co-op*, 20 février 2014, http://halifax.mediacoop.ca/fr/story/loretta-saunders-courage-strength-and-resilience/21773

qui avait auditionné, pendant onze mois, des organisations non gouvernementales et autochtones, des policiers, des organismes communautaires, des travailleurs sociaux, des chercheurs, des hauts fonctionnaires, et les familles venues de tout le pays. Amnesty International y avait participé. Et Bridget Tolley, de Kitigan Zibi Anishinabeg et de Families of Sisters in Spirit. Et Connie Greyeyes. Et Michèle Audette. Et tant d'autres. Mais pas Laurie.

«Ils me l'ont demandé, m'a-t-elle précisé. J'ai dit non. Un comité dirigé par une conservatrice, avec une majorité de députés conservateurs. Franchement. Soyons sérieux.» Laurie avait déjà croisé Stephen Harper à Ottawa, en 2010 peut-être, elle ne se souvenait plus très bien de la date. Lors d'une rencontre organisée par la Missing Children Society of Canada, avec d'autres familles d'enfants disparus, elle avait dû lui raconter son histoire en trois minutes et se souvenait de sa froideur, de son envie manifeste d'être ailleurs. Aujourd'hui encore, elle n'attend rien des conservateurs, sinon leur départ.

La suite a donné raison à Laurie. Ce rapport était juste, bouleversant; mais les recommandations, elles, étaient parfaitement insignifiantes; l'ensemble était schizophrénique. Hormis deux résolutions – créer un répertoire national de données génétiques sur les personnes disparues; envisager que la police recueille les données sur les violences faites aux femmes en tenant compte de l'origine ethnique –, les engagements consistaient à perpétuer les politiques existantes. Et une fois de plus, le gouvernement refusait totalement d'engager une quelconque enquête publique nationale. Les conservateurs ajournaient encore une rencontre frontale avec l'histoire coloniale du Canada, et avec cette partie de la population qui s'entête à ternir l'image du pays ; qui affole l'onu ; qui gâche la fête.

Dès le début du processus, on a deviné cette tromperie et la colère a souvent éclaté dans la salle d'audience. Auditionnée depuis Uashat, Michèle Audette a dégainé son exaspération. « Pour vous dire les choses comme elles sont, nous sommes à bout. Je sais que (ce comité) est le seul instrument disponible actuellement, mais cela fait vingt ans que je suis en politique, pour représenter d'abord les femmes autochtones du Québec et aujourd'hui l'afac, et ce n'est ni la première ni, je le crains, la dernière fois que nous sommes là, à attendre et espérer, avec nos recommandations sous le bras. Mais la plupart du temps, reconnaissons-le [...] nos recommandations sont condamnées à moisir sur une étagère[8]. » Pour sa part, la vice-présidente libérale du comité, Carolyn Bennett, a publiquement critiqué le peu de place accordé aux auditions des familles et la médiocrité méthodologique du rapport, ce qui démontrait à l'évidence une volonté de ne rien faire ; comité et rapport n'étaient à ses yeux qu'un « travestissement total du processus parlementaire[9] ». Joignant le geste à la parole, Audette, qui avait menacé de se lancer en politique pendant les auditions, a annoncé en mai qu'elle se

---

8. Comité spécial sur la violence faite aux femmes autochtones, audition du 21 novembre 2013.

9. Devon Black, « A national Tragedy Lands in a Bucket of Whitewash », *ipolitics.ca*, 10 mars 2014.

présenterait aux prochaines élections sous la bannière libérale. Le même jour, la GRC annonçait la publication du rapport le plus précis sur le sujet. *Momentum,* certainement.

En septembre 2014, cédant à une très forte pression médiatique consécutive à l'assassinat de la jeune Tina Fontaine, le gouvernement fédéral rendait public un « plan d'action pour répondre à la violence familiale et aux crimes violents contre les filles et femmes autochtones ». Ce n'était en fait que la mise à jour du plan à 25 millions de dollars sur 5 ans annoncé 7 mois plus tôt. Cette nouvelle mouture accentuait le soutien aux familles, mais restait silencieuse sur les causes profondes de la tragédie : la pauvreté, l'absence de foyers d'accueil en nombre suffisant, une police plus attentive. Le principe d'une grande enquête publique était de nouveau mis de côté.

Les militantes et les organisations autochtones continuent de débattre de la pertinence de cette grande enquête publique. « Si le gouvernement colonial sort des dollars pour réparer un problème qu'il a créé et qu'il justifie en permanence, et si nous sommes d'accord pour travailler avec lui, alors cela signifie que nous serrons la main de l'oppresseur, et que nous l'incarnons[10] », écrit Andrea Landry. Nous sommes nos propres expertes, disent Andrea et celles qui, comme elle, en

---

10. Andrea Landry, « Why We Don't Need a Missing and Murdered Indigenous Women's Inquiry », *Last Real Indians,* 13 mars 2014, www.lastrealindians.com/why-we-dont-need-a-missing-and-murdered-indigenous-womens-inquiry-by-andrea-landry

appellent à la souveraineté, à l'autodétermination. « Nous devons trouver les solutions nous-mêmes », écrivent-elles.

Mais le monde autochtone s'accorde pour rejeter le gouvernement conservateur. Qui le lui rend bien. Dans le rapport final du comité spécial, j'ai découvert une petite censure, discrète, mais significative. Le 4 octobre 2013, quand Connie Greyeyes a raconté sur la colline du parlement les 11 morts et disparitions dans son entourage, elle a clos son intervention par un poème d'Helen Knott, une jeune militante autochtone, dédié aux femmes amérindiennes victimes de meurtres. Il se termine sur ces vers :

> *On m'a enfin donné les étoiles,*
> *couchée sur les routes de campagne pour les regarder,*
> *dans les caniveaux et les ruelles,*
> *sur les bouts fantomatiques de*
> *sentiers pierreux et oubliés.*
> *Ton immensité*
> *m'avale.*
> *Est-ce que j'entre dans ton champ de vision ?*
> *Me vois-tu maintenant, Stephen Harper ?*
>
> *Parce que j'ai l'impression*
> *que tes yeux*
> *font une courbe*
> *autour de moi[11].*

Connie a lu l'intégralité de ce poème devant le comité, lors de l'audition des familles, le 9 décembre,

---

11. Le poème d'Helen Knott figure dans les annexes, p. 212-217.

et le rapport final, *Femmes invisibles,* s'ouvre précisément sur le texte. Mais le «Me vois-tu maintenant?» est immédiatement suivi de son point d'interrogation.

Le nom du premier ministre a disparu.

VIII

POSTE DE POLICE, KITIGAN ZIBI,
24 JANVIER 2014

L'organisation spatiale de Kitigan Zibi est déroutante, sans véritable centre, sans circularité. L'administration, la garderie, le magasin d'artisanat, le magasin général – où travaille le mari de Laurie – s'étalent de part et d'autre de la route 105, ainsi que le Home Hardware, la quincaillerie qui a fait faillite, dont j'ai vu l'enseigne puis le logo disparaître au fil de mes visites, mais qui subsiste dans la géographie mentale des habitants. L'image du bâtiment figure encore sur le site internet de la réserve ; on devine combien cette source d'emplois a été importante, et les membres de la communauté continuent de se donner rendez-vous « sur le parking du Home Hardware » – comme une jambe amputée dont on sent encore les contours. À proximité de la 105, une petite rue avec son église blanche donne une idée de ce qu'était la communauté il y a cinquante ou cent ans, villageoise, tissée serrée. Mais on y passe, sans crier gare, de Kitigan Zibi à Maniwaki, de la réserve autochtone à la ville des Blancs.

Côté ouest, il y a la partie sauvage et belle, des lacs si nombreux qu'on ne peut les compter, la forêt ininterrompue, où les maisons surgissent tous les 500 mètres ou tous les kilomètres, comme désireuses d'occuper le territoire, mais conscientes de leur petitesse dans cet immense espace. Cette partie que j'ai baptisée pour moi-même «le secteur des petites routes sans fin», quoique nommées rues, *mikan* en algonquin. Là où vivent Laurie et Lisa, à dix kilomètres l'une de l'autre.

On comprend la raison de cette géographie contrariée, hachée, quand on sait que le territoire algonquin s'est fait grignoter au fur et à mesure que l'exploitation forestière envahissait la région. «On a perdu, perdu, reculé, reculé», m'a dit Gilbert Whiteduck, le chef de la communauté. «Vous voyez le centre d'achats de Maniwaki, là-bas, près de la rivière? C'est là qu'était la maison de notre chef Pakinawatik, au XIXe siècle.» Gilbert admettait que les paysages changent, que les organisations urbaines évoluent; mais ce dont il parlait, c'était de confiscation de territoires, de promesses non tenues.

En 2012, le conseil de bande de Kitigan Zibi a listé 23 revendications territoriales visant le territoire de Maniwaki. La réserve a perdu 5 000 hectares depuis sa création en 1851 et, comme le soulignait Gilbert, nombre des territoires enlevés l'ont été en dehors de tout traité, de tout accord; volés.

Le poste de police est situé rue Kikinamage, là où sont regroupés l'école, la radio communautaire, les services sociaux et de santé, le foyer pour les femmes. Au beau milieu de la réserve, loin de l'administration et de la route 105. J'ai roulé dans la neige et dans la nuit, et je me suis perdue ; je suis finalement arrivée devant le petit bâtiment de briques où m'attendait Gordon McGregor, le chef de la police, à la tête d'une équipe de 8 officiers – c'est beaucoup pour une communauté de 1 600 habitants, et pas assez, si l'on tient compte des difficultés propres aux réserves. Je l'avais imaginé grand, costaud, calme ; il était grand, costaud et calme. Il était policier à Kitigan Zibi depuis trente-deux ans, et chef de la police depuis vingt-deux ans. « Comment faites-vous ? lui ai-je demandé. Vous connaissez tout le monde depuis si longtemps, ce doit être compliqué de travailler sereinement. » On m'avait décrit la situation intenable des policiers autochtones, qui sont nés et ont grandi dans la communauté où ils travaillent et se retrouvent à intervenir auprès d'un cousin qui vend de la drogue ou d'une tante battue par son mari.

— Cette proximité, c'est particulier, a-t-il consenti. Vous arrêtez des jeunes dont vous connaissez très bien les parents. Il y a des pères qui viennent me voir chez moi, le soir, le week-end, pour me parler, pour pleurer, pour me demander « Qu'est-ce que je peux faire pour mon fils ? » En fait, je ne peux pas être simplement le chef de la police. On me parle comme à un aîné, on vient chercher mes conseils.

— Quand même... Vous ne pouvez pas être Dieu, ai-je dit.

— Non, mais je travaille ici, je ne peux pas renvoyer les gens chez eux, je dois les écouter, même si je suis obligé de demander à ma petite amie de quitter la pièce. Si vous les repoussez, ils ne vous diront plus rien, ne partageront plus aucune information avec vous. Alors je suis là, toujours présent, et je m'absente très peu, et cette proximité est aussi une force. Même les délinquants me respectent, ceux qui sont de l'autre côté de la barrière. En trente ans, je n'ai pris qu'un seul coup de poing.

— Qu'est-ce qui vous occupe le plus en ce moment?

— Vous voulez dire, a-t-il souri, quelle est la saveur du mois?

Et de détailler ses préoccupations des dernières années : il y avait eu la période trafic de marijuana et de cocaïne avec les États-Unis en 2006 et 2007; puis la période trafic de médicaments pour consommation illicite entre 2008 et 2010.

— À cette époque, il y a eu beaucoup de vols par effraction, mais aussi des overdoses mortelles. Nous avons perdu trois ou quatre jeunes à cause de ces médicaments. Aujourd'hui, nous gérons les problèmes de santé mentale de ceux qui se sont intoxiqués pendant cette période et qui ont encore des séquelles.

En 2005, Gordon a été accusé d'avoir utilisé la carte de crédit de la police pour s'offrir, à lui et à sa petite amie, des cours de salsa donnés dans l'hôtel chic de Maniwaki. Les accusateurs étaient des trafiquants de drogue de la réserve qui se savaient sous surveillance. Gordon a été blanchi par le comité de déontologie policière du Québec et a contribué à l'arrestation d'une dizaine de membres de la communauté.

En avril 2008, dans un tout autre registre, il a réussi à capturer un lionceau nommé Boomer qui vivait illégalement dans la réserve et s'était échappé, faisant la une des médias ontariens et québécois. Des photos le montrent, bel homme en chemise blanche, moustache et sourire placide, entouré de ses hommes qui cajolent le petit lion dans les locaux de la police. Le 6 septembre de la même année, la disparition de Maisy et Shannon a de nouveau mis Gordon sur le devant de la scène. Ou plus exactement sur la sellette.

*

* *

En septembre 2008, Bryan et sa fille Shannon vivaient depuis quatre ans dans un logement social de la rue Koko, à Maniwaki, mais à quelques dizaines de mètres de la réserve. « *On the straight line,* sur la frontière », expliquait Gordon. Maisy était venue passer le week-end des 6 et 7 septembre chez eux. C'est dans cet appartement qu'elles ont été vues pour la dernière fois, par Bryan. Alors que les deux jeunes filles avaient disparu au même endroit, au même moment, deux services de police distincts entraient en scène : la police de la réserve a pris en main le dossier de Maisy, et la police de Maniwaki, la Sûreté du Québec (sq), celui de Shannon. Dans les jours qui ont suivi l'alerte, les deux équipes se sont succédé chez Bryan, sans aucune coordination, se saisissant d'indices, en piétinant peut-être d'autres.

Plus de six mois après la disparition des jeunes filles, le site de l'association Montréalaise Missing Justice publiait une lettre ouverte, amère et consternée, de Laurie.

> J'ai l'impression qu'on ne reconnaît pas mon droit d'accéder à l'information qui concerne ma fille mineure. [...] Lorsque j'ai appelé la SQ pour parler à un policier qui enquêtait sur le cas de Shannon Alexander, on m'a dit de m'adresser au service de police de Kitigan Zibi (KZPS) parce que la SQ n'avait pas de dossier me concernant et que je ne suis pas de la famille de Shannon. Je comprends ce qu'implique la confidentialité, mais vers qui puis-je me tourner si je veux que la police me donne des renseignements, mais que je ne reçois rien ou presque du KZPS ? Et lorsque je reçois quelque chose, ce ne sont que des bribes d'information dépourvues de tout professionnalisme. [...] POURQUOI LE DOSSIER DE MA FILLE A-T-IL ÉTÉ TRANSFÉRÉ PAR LA SQ À LA POLICE DE KITIGAN ZIBI ? QUI A DONNÉ CET ORDRE ? [...] Sa disparition est advenue quand elle était à l'extérieur de la réserve. La SQ, donc, est l'autorité policière qui devrait mener l'enquête et traiter le dossier. Je ne veux pas que ma fille devienne un problème juridictionnel[1].

La collaboration entre les deux services était nécessaire : le crime éventuel pouvait tout aussi bien s'être déroulé sur le territoire de la réserve qu'à Maniwaki. Mais aucun enquêteur n'avait été désigné pour chapeauter l'enquête. La désorganisation, l'absence de stratégie semblaient régner en

---

1. « A Letter From Laurie Odjick », *missingjustice.ca,* mai 2009. La lettre entière est en annexe, p. 199.

maître. Au bout de six mois, la moisson était bien maigre, faute d'avoir mis à profit les premiers jours qui avaient suivi la disparition. Ces deux semaines décisives pendant lesquelles on peut relever des indices valides, des témoignages encore frais, avaient été gâchées par la mauvaise répartition des rôles. Interrogés par un journaliste du *Ottawa Citizen*, les deux services avaient expliqué que pendant les deux premiers mois, ils avaient traité les deux cas séparément[2]. Mark et Laurie n'avaient subi aucun interrogatoire («Moi, le beau-père de Maisy, j'aurais dû être suspecté, non?», observait Mark). Bryan, lui, avait été interrogé parce qu'il était en première ligne, mais il avait été mis hors de cause. Après la diffusion des photos des filles dans les médias à la mi-septembre, les services semblaient s'être noyés dans la vérification de toutes les (fausses) pistes. «Nous étions comme un ordinateur en surcharge qui finit par imploser», m'a expliqué Gordon[3].

Cependant, face à moi, dans le petit poste de police, il a balayé l'argument de l'inefficacité due

---

2. Brendan Kennedy, «Without a Trace», *loc. cit.*

3. Trois ans plus tard, interpellé après la parution d'un article dans *La Presse,* le ministre des Affaires autochtones du Québec de l'époque, Geoffrey Kelley, a reconnu devant l'Assemblée nationale qu'il y avait eu «de toute évidence, des manquements dans ce dossier, [...] une confusion au départ de cette enquête». Cité dans Isabelle Hachey, «Disparition de femmes autochtones: Kelley reconnaît des manquements», *lapresse.ca,* 9 novembre 2011, www.lapresse.ca/actualites/ justice-et-affaires-criminelles/201111/09/01-4465935-dispari tion-de-femmes-autochtones-kelley-reconnait-des-manque ments.php

au dédoublement de l'enquête. Pour lui, ce qui manquait en septembre 2008, c'était bien plus important : c'étaient les ressources et l'expertise, du côté de son département comme de celui de la SQ. Pas assez d'hommes, pas assez de compétences. Il me l'a répété comme un mantra :

— Rechercher des personnes disparues, c'est une affaire de spécialiste. Dans une enquête sur un trafic de drogue, il y a toute une stratégie de confidentialité pour parvenir à arrêter les bonnes personnes. Mais ici, on était à l'inverse contraints de rendre publiques certaines informations pour obtenir de nouvelles pistes, et on se demandait : « Qu'est-ce que je peux révéler, jusqu'où je peux aller ? » et à l'époque nous ne savions pas comment procéder.

En mars 2009, après des mois d'insistance, Laurie a reçu de la police de Kitigan Zibi un document qu'elle commente ainsi dans sa lettre ouverte : « Tout récemment, j'ai reçu un document de huit pages, à double interligne, sans en-tête ni signature. Je tiens à souligner qu'après l'avoir lu, j'ai eu le sentiment d'avoir fait le travail de la police parce que je n'y ai trouvé que les indices et les sources que j'avais moi-même fournis. Au bout du compte, il n'y a rien de solide. Une fois de plus, je me retrouve avec encore plus de questions, de doutes et une impression de vide extrême. »

Le rapport, qui couvrait la période de septembre à décembre 2008, égrenait les informations reçues, les vérifications effectuées (dans les réserves environnantes au Québec et en Ontario, dans une maison abandonnée, le long du chemin de fer qui longe Kitigan Zibi), les interactions avec la sq, la diffusion des avis de recherche jusqu'à la frontière américaine. On avait cru voir les filles un peu partout depuis leur disparition : dans les villages voisins de Messines et Déléage, dans plusieurs rues d'Ottawa, à côté du restaurant Tim Hortons dans Vanier, le quartier autochtone de la capitale ; faisant du stop sur l'autoroute ; à Gatineau, au Québec ; à Kingston, à Hanover, à Port Elgin, à Saugeen, la réserve de Mark qui manquait tant à Maisy ; dans un supermarché d'Owen Sound. Les polices locales avaient été contactées. Chaque fois, la même conclusion : *No results.*

L'enquête n'avait fait que piétiner. Un entraî-neur de hockey de Maniwaki, poursuivi pour viol de mineure (et qui s'est suicidé en prison en 2011), avait été soupçonné et interrogé. Les deux jeunes hommes de la communauté – dont celui que Laurie avait pris un jour dans sa voiture – avaient été interrogés. Pour Gordon, « nous avions épuisé toutes les pistes possibles, interrogé tous les suspects, une, deux, trois fois. Après la diffusion des photos, quand des signalements nous sont revenus d'Ottawa ou de Kingston, on a commencé à travailler avec la police provinciale de l'Ontario, avec la grc. Sans résultat ». À la frontière entre la réserve et Maniwaki s'ajoutait, en effet, celle qui sépare le Québec de l'Ontario. La probabilité que les filles soient du côté ontarien était bien plus grande : Ottawa est la ville de naissance de Shan-non, celle où vit sa mère, et la grande ville pour les habitants de l'Outaouais. Et puis Maisy avait vécu plusieurs années dans la province, à Saugeen ; elle avait aussi séjourné chez son père, toujours en Ontario, dans la réserve de Six-Nations. Quatre services étaient donc impliqués dans l'enquête, sans qu'aucun ne coordonne et n'organise les recherches.

Et pendant ce temps-là, des éléments essentiels n'avaient pas été recueillis. Ou mal, comme me l'a assuré Bryan, décrivant une visite de la SQ à son domicile : « J'avais trouvé une tache de sang séché sur le sol. Bon, d'accord, il y avait des chiens et des chats dans la maison, ça pouvait venir d'eux, mais je leur montre, je leur dis "Il y a du sang séché ici". Tu sais ce qu'ils ont fait ? Ils m'ont demandé un coton-tige et un morceau de papier. Je suis allé chercher un coton-tige et j'ai arraché un bout de papier dans un vieil album de coloriage de Shannon. Ils ont mis un peu d'eau sur le coton-tige, ont pré-levé le sang, ont mis le coton-tige dans le papier. Je les regardais. Je me disais "Quelle bande de trous du cul", ils auraient dû prendre du matériel stérile et tout sceller. »

Bryan m'a raconté combien les quelques visites de la SQ chez lui s'étaient mal passées, décrivant ce jeune officier fouillant la chambre de Shannon et tenant entre ses doigts, sourire aux lèvres, une culotte de la jeune fille sur laquelle figuraient des inscriptions humoristiques ; souvent ivre, au fond du désespoir, Bryan leur avait mené la vie dure, en les menaçant et en leur hurlant dessus.

Est-ce que Bryan a dit vrai, lui qui ne se cachait pas de boire et de fumer intensément, surtout pen-dant ces journées de désespoir ? Son récit est pré-cis, détaillé. J'aurais aimé que la SQ confirme ou infirme cette anecdote, mais «on ne commente pas les affaires en cours» m'a-t-on expliqué à la sq.

De leur côté, Laurie et Lisa étaient en rupture avec l'enquêteur de la police de Kitigan Zibi qui suivait le dossier de Maisy et qui, disaient-elles, ne répondait pas à leurs appels. «Pourquoi vous ne me téléphonez pas, pourquoi vous ne me donnez pas de nouvelles?» s'était plainte Laurie. «C'est à vous de nous appeler», avait-il rétorqué. Lisa s'était plainte elle aussi du silence. «Laissez-nous faire notre satané job», s'était-elle entendue répondre. Après quelques mois, Gordon avait reconnu auprès de Brendan Kennedy, reporter au *Ottawa Citizen*, que son enquêteur «travaillait sur chaque nouvelle piste, mais ne cherchait pas activement les filles[4]».

En 2013, devant le comité spécial, Bridget Tolley, cofondatrice de Sisters in Spirit et habitante de Kitigan Zibi, s'indignait: «En 2008, deux jeunes filles de chez nous ont disparu. Nous avons aussi perdu un bébé lion dans la réserve. Pour le lion, nous avons eu une équipe de recherche. Nous avons eu la police. Nous avons eu des hélicoptères. Nous avons eu les services de la faune. Nous avons tout eu. Mais quand ces deux êtres humains ont disparu, nous n'avions rien. Pas de chiens reni-fleurs, pas d'équipe de recherche, pas de police, pas de médias.» Pas de battues organisées par la police, en effet; même si les enquêteurs étaient présents lors des battues organisées par les familles. Nul hélicoptère pour survoler la zone. Pour relancer la diffusion des photos des filles dans les médias, la

---

4. Brendan Kennedy, «Without a Trace», *loc.cit.*

police provinciale de l'Ontario avait organisé une conférence de presse à Ottawa en septembre 2009, sans prévenir les familles. Alertée par une journaliste de Radio-Canada, Laurie avait déboulé depuis Kitigan Zibi, stupéfaite, et persuadée que ses critiques publiques contre l'enquête étaient la raison de cet « oubli ». « Je n'ai pas eu de contacts avec les enquêteurs depuis huit mois, avait-elle dit aux journalistes. Quand ils disent qu'ils collaborent avec les familles… Moi, on ne me parle pas[5]. »

Le divorce était consommé. La famille Odjick voyait la police de la réserve comme incompétente et culpabilisante.

« En fait, j'ai le sentiment que le KZPS et Kitigan Zibi ont eu recours à la pratique qui consiste à rejeter le blâme sur la victime. Je suis la victime, mais pour ces instances, c'est de ma faute si Maisy est partie ; c'est de ma faute si elle a disparu ; c'est moi qui ai attendu trop longtemps avant d'alerter la police ; c'est moi qui n'ai pas communiqué avec les policiers assez régulièrement[6]. »

La famille Alexander se sentait négligée et méprisée par la SQ.

— Parce que nous sommes des Indiens, disait Pam, on nous traite toujours de cette manière.

Pam, qu'on aurait pu croire prudente, « assimilée », elle qui avait travaillé des années au sein de l'armée canadienne.

*

* *

---

5. *Ibid.*
6. « A Letter From Laurie Odjick », *loc. cit.*

Au départ, il y avait un biais. Un biais qui expliquait la mollesse de l'enquête. Un biais qui expliquait le silence que la police opposait aux familles. Un biais régulièrement soulevé lors des enquêtes ou des auditions parlementaires sur les femmes autochtones disparues ou assassinées.

Ce biais, c'était l'idée bien ancrée dans les deux services que les filles avaient fugué. Qu'elles seraient de retour d'une semaine à l'autre. Les adolescentes autochtones, lisais-je, étaient plus fugueuses que la moyenne – et la police déployait de moindres efforts pour les retrouver, même quand la disparition revêtait des aspects particulièrement inquiétants[7].

Gordon McGregor le reconnaissait : « Oui, c'est la première chose qui m'est venue à l'esprit. Je ne connaissais pas Shannon, mais je savais que Maisy avait déjà fugué. Elle était très fâchée avec sa mère. Je savais, par exemple, que Maisy n'avait jamais accepté le retour à Kitigan Zibi après les années à Saugeen. » Le rapport rédigé par l'enquêteur de la réserve et que Laurie avait décrié allait en effet dans ce sens. De longs appels téléphoniques avaient été passés vers Saugeen depuis l'appartement de Bryan, et la volonté de Maisy de retourner y vivre avait été évoquée par plusieurs amis ; l'un d'eux affirmait même que Maisy avait parlé explicitement de partir parce qu'elle s'entendait mal avec sa mère.

---

7. Voir notamment, à propos des adolescents autochtones aux États-Unis, Jennifer Benoit-Bryan, *National Runaway Safeline's 2013 Reporter's Source Book on Runaway and Homeless Youth*, University of Illinois-Chicago, août 2013.

Gordon a ajouté ceci :

— Pendant deux semaines, la SQ et nous avons partagé toutes les informations que nous trouvions. Jusqu'à ce que nous réalisions qu'il se passait peut-être quelque chose de grave. À un moment, on s'est rendu compte que cette idée [de la fugue], ça n'avait pas de sens.

C'était trop tard. Les indices s'étaient envolés.

Lorsque les ordinateurs des filles ont été saisis, un mois après la disparition, la police a trouvé des courriels où elles faisaient part de leur désir de partir, d'aller voir ailleurs. Les officiers pensaient avoir trouvé une confirmation de l'hypothèse de la fugue et, du côté de la SQ, à Maniwaki, on l'a longtemps maintenue, jusqu'à la suggérer publiquement à des journalistes en mars 2009. Et ce, malgré le témoignage de Laurie, qui répétait que sa fille ne pouvait pas avoir fugué, puisqu'elle était déjà partie de chez elle. « Elle avait déjà fait son sac. Elle s'était installée chez son petit ami, puis chez sa grand-mère. Elle vivait sa vie. » Quant à Shannon, elle allait vivre à Mont-Laurier.

Aux yeux de Bryan comme à ceux de Laurie, l'enquête a été paresseuse pour cette raison-là, et au mépris d'indices troublants.

— J'étais parti deux jours à Ottawa chez mon fils aîné, me racontait Bryan. Quand je suis rentré, le dimanche, vers 17 heures, la maison était vide. La grand-mère de Maisy m'a appelé le lendemain pour me dire que les filles avaient toutes les deux disparu. Je n'y croyais pas. Elle est venue et nous nous sommes assis sur mon divan pour parler. Et c'est là, en m'asseyant, que j'ai trouvé le portefeuille de Maisy, et une pipe pour la marijuana. Puis nous sommes entrés dans la chambre de Shannon, et j'ai trouvé son portefeuille… Je me disais «Mais c'est quoi ce bordel?»…

Leurs deux portefeuilles, avec papiers d'identité et argent; leurs trousses de maquillage; leurs vêtements : tout était là. Tout était resté et semblait crier que les jeunes filles n'étaient pas parties volontairement. «Si tu laisses ce qui est le plus important pour toi… C'est ce qu'on appelle des *red flags,* des signes inquiétants, des signaux d'alarme, m'a expliqué Maryanne Pearce, qui s'est penchée, pour sa thèse, sur de nombreuses enquêtes de police. Il faut s'inquiéter immédiatement. Il faut prélever tous les indices possibles.»

L'hypothèse de la fugue, copieusement relayée par les médias, a laissé des traces.

— C'est la télévision, surtout, qui a répandu cette information. Encore aujourd'hui, beaucoup dans la communauté pensent que Maisy a fugué, m'a raconté Laurie. Il y a des gens qui me disent : «Alors, as-tu des nouvelles de Maisy?» Je ne m'énerve pas, je ne leur en veux pas, ça a tellement été dit et répété… Je réponds «Non, pas encore… », mais dans ma tête, je grogne de colère.

Laurie a dit cette dernière phrase en riant. Puis Mark a ajouté :

— C'est plus facile de croire qu'elles ont fugué que de se dire que quelque chose est arrivé ici, dans notre communauté, ou tout près.

Et même si elles avaient fugué.

— On pouvait quand même les chercher, non ? m'avait lancé Pam, la grand-mère de Shannon. Elles avaient 16 et 17 ans…

Il ne fait aucun doute que la disparition de deux belles jeunes filles un peu plus blondes, un peu plus blanches, même un peu sulfureuses, même soupçonnées d'avoir fugué, aurait déclenché un tout autre dispositif de recherche. Une débauche de moyens. Une orgie policière. On imagine le déluge. On l'imagine d'autant plus qu'il a eu lieu, un mois plus tard, en Ontario, après la fugue du jeune Brandon Crisp, 15 ans, qui a claqué la porte de la maison familiale le 13 octobre 2008 parce que ses parents lui avaient confisqué sa Xbox[8].

La disproportion est spectaculaire.

Pour Maisy et Shannon, la police n'a été à l'initiative d'aucune recherche sur le terrain, *parce qu'on les pensait fugueuses et susceptibles de revenir d'un jour à l'autre*; pour Brandon, *qui était pourtant un fugueur avéré*, les recherches sur le terrain ont duré deux semaines complètes, avec caméras thermiques, hélicoptère et chiens renifleurs. Microsoft, le fabricant de la Xbox, et le fournisseur internet de la famille, embarrassés par la dépendance au jeu vidéo *Call of Duty* du jeune Brandon, ont immédiatement offert 50 000 dollars de récompense à qui aiderait à le localiser, tandis que Laurie et sa belle-soeur Maria Jacko ont mis des mois à amasser 20 000 dollars à coup de tournois de golf

8. «Not Just A Video Game: The Obsessive World of Gaming and Its Young Stars», *CBC News,* 6 mars 2009, www.cbc.ca/news/canada/not-just-a-video-game-the-obsessive-world-of-gaming-and-its-young-stars-1.809580

et de courses à pied. Brandon est mort après avoir chuté d'un arbre, et son corps a été trouvé trois semaines après son départ, par des chasseurs, dans un coin sauvage à quelques kilomètres de sa ville, Barrie. Cinq mois plus tard, en février 2009, au Québec, la disparition de David Fortin, un adolescent d'Alma, a également été qualifiée de fugue par la police[9]. Ce qui n'a pas empêché le déploiement d'un hélicoptère et l'organisation de battues avec maîtres-chiens. Même s'il n'a jamais été retrouvé. « Je n'envie pas l'issue de cette triste histoire », disait Laurie à propos de Brandon. « Mais l'investissement policier, oui, certainement. »

Il ne s'agissait pas seulement de réussir à retrouver les filles. La police n'a pas retrouvé Brandon à temps et n'a jamais retrouvé David. Dans le cas de Maisy et Shannon, il s'agissait aussi de sentir le soutien des institutions. Impliquées dans l'enquête sur la disparition de Maisy et Shannon, la police provinciale de l'Ontario et la SQ ont fait le minimum, puis déployé les grands moyens, quelques semaines plus tard, quelques mois plus tard, pour des adolescents et des familles auxquels il était plus facile de s'identifier. Et quand les grands moyens ont enfin été déployés à Kitigan Zibi et à Maniwaki, ce n'était pas à l'initiative de la police. Ce délaissement transpire de chaque rapport sur les femmes autochtones assassinées ou disparues.

Lorsqu'elle a raconté au comité spécial l'histoire des 11 femmes de son entourage disparues ou

9. « La famille de David Fortin garde espoir », *TVA Nouvelles*, 10 février 2013, www.tvanouvelles.ca/lcn/infos/faits divers/archives/2013/02/20130210-135314.html

assassinées, Connie Greyeyes m'avait semblé vivre dans un pays en guerre ; Laurie Odjick et Bryan Alexander, confrontés à cette négligence policière, m'ont paru eux aussi habiter ailleurs qu'au Canada, dans un pays émergent, bananier, inachevé. Ils vivent dans la même province que moi, roulent à travers les mêmes paysages, fréquentent les mêmes supermarchés, mais ont sans doute une appréciation très différente de ce pays, l'impression de vivre dans une contrée (celle, pourtant, de leurs ancêtres) hostile, oppressante ; ils éprouvent l'amertume de la spoliation historique et se sentent personnellement abîmés par les destructions successives, celle de la culture, de la langue, des familles.

Les témoignages faisant état de la discrimination policière, consciente ou inconsciente, abondent. Le rapport du comité spécial en contient plusieurs[10].

Comme celui de Lorna Martin, à propos de sa mère disparue (Marie Jean-Saint-Saveur, Alberta, 1987) : « L'une des premières questions que la Gendarmerie royale a posées à ma sœur, c'était de savoir si ma mère buvait. Elle était incapable de nier. Elle n'a pas menti. Elle a dit oui. Alors l'agent a dit : "Ces gens-là se prennent une cuite pendant deux ou trois jours et ensuite, ils reviennent." Quand vous êtes dévoré par l'anxiété, que vous avez mal,

---

10. Comité spécial sur la violence faite aux femmes autochtones, *Femmes invisibles : un appel à l'action. Un rapport sur les femmes autochtones portées disparues ou assassinées,* Chambre des communes, mars 2014, auditions du 9 décembre 2013.

c'est comme un coup de pied dans l'estomac. […]
Ils nous ont dit que notre mère était une Indienne
saoule.» (Marie Jean-Saint-Saveur avait des problèmes de santé mentale hérités de sa jeunesse
dans les pensionnats autochtones. Elle était très
fragile.)

Comme celui d'Amy Miller, à propos de sa fille
assassinée (Denise Bourdeau, Ontario, 2007): «La
nuit où j'ai signalé la disparition de Denise, un des
agents a eu le culot de dire à l'autre agent, juste
devant nous: "Elle est probablement au centre-
ville en train de faire ce qu'elle a à faire pour obtenir sa prochaine dose."» (Denise Bourdeau n'était
pas prostituée ni toxicomane. C'était une victime
de violence conjugale.)

Comme celui de Bernadette Smith, à propos
de sa sœur disparue (Claudette Osborne, Manitoba,
2008): «Lorsque ma sœur a disparu, on l'a signalé,
mais cela a pris dix jours avant même que son dossier ne soit examiné. Mon autre sœur, Tina, s'est
fait dire qu'elle était probablement quelque part;
c'est ce que la police nous a dit, qu'ils n'allaient
pas faire quoi que ce soit pour l'instant, qu'elle
réapparaîtrait, comme elle l'avait toujours fait.»
(Claudette, prostituée et toxicomane, était restée
très proche de sa famille et donnait régulièrement
de ses nouvelles. Son silence était inquiétant.)

*

* *

«Racisme systémique»: l'expression est récurrente
dans toutes les études, tous les rapports. Ainsi les

graves manquements de la police de Vancouver et de la GRC vis-à-vis des disparitions dans le Downtown Eastside ont été à ce point choquants qu'ils ont fait l'objet d'une commission d'enquête. «Le racisme, l'apathie, et un mépris flagrant pour les femmes marginalisées, dont la vie est l'objet d'anathème aux yeux de la police, ont conduit à l'inaction. Ces femmes n'ont pas bénéficié de la même protection, avant leur disparition, et des mêmes préoccupations, du même temps et des mêmes ressources après leur disparition que des citoyennes jugées plus dignes[11]», écrit Maryanne Pearce. Racisme systémique, malgré les escouades policières spécialisées mises en place par la GRC, comme KARE en Alberta, qui recherche les assassins d'un groupe de jeunes femmes «à risque» tuées dans la région d'Edmonton – dont 63 % étaient autochtones; E-PANA en Colombie-Britannique, qui s'occupent des cas de meurtres et disparitions de l'autoroute des larmes, dont 75 % des victimes étaient autochtones; DEVOTE au Manitoba, qui suit spécialement les meurtres de jeunes femmes «à risque» de Winnipeg, prostituées, itinérantes, toxicomanes, à 64 % autochtones[12].

Dans son rapport intitulé *Ceux qui nous emmènent*[13] – ce titre est la traduction d'un terme amérindien utilisé pendant la période des pen-

---

11. Maryanne Pearce, *An Awkward Silence, op. cit.*, p. 503.
12. Ces chiffres sont issus de *ibid*.
13. Human Rights Watch, *Ceux qui nous emmènent. Abus policiers et lacunes dans la protection des femmes et filles autochtones dans le nord de la Colombie-Britannique, Canada, op. cit.*

sionnats et désigne la GRC (qui arrachait les enfants à leurs familles) –, HRW accuse la GRC du nord de la Colombie-Britannique de non seulement négliger les femmes autochtones venues porter plainte, par exemple pour violence conjugale, mais aussi de les insulter, de les frapper. L'une des femmes interviewées par HRW a déclaré, sous anonymat, avoir été violée par quatre agents de la GRC. « La menace de la violence conjugale et aléatoire, d'un côté, et les mauvais traitements de la part des agents de la GRC, de l'autre, laissent les femmes autochtones dans un état constant d'insécurité[14] », a commenté une chercheuse de l'ONG, Meghan Road. Triple vulnérabilité. En 2004, toujours en Colombie-Britannique, le juge David Ramsay a été condamné pour avoir battu et contraint à des relations sexuelles non protégées quatre prostituées autochtones âgées de 12 à 16 ans – il suivait les dossiers de trois d'entre elles. « Quand des hommes cherchent des femmes à agresser, les femmes autochtones apparaissent comme des cibles faciles et à faible risque. En plus, le racisme et les stéréotypes entretenus par les policiers peuvent avoir pour conséquence une défiance mutuelle et des enquêtes inefficaces dans le cas des agressions, disparitions et meurtres de femmes autochtones[15] », écrit aussi Maryanne Pearce.

---

14. Human Rights Watch, « Canada : interventions policières abusives et victimes délaissées le long de "l'Autoroute des larmes" », www.hrw.org/fr/news/2013/02/13/canada-interventions-policieres-abusives-et-victimes-delaissees-le-long-de-l-autorou

15. Maryanne Pearce, *An Awkward Silence, op. cit.,* p. 70.

L'inefficacité des enquêtes concernant les homicides de femmes autochtones ne faisait guère de doute jusqu'à ce que soient rendus publics, en mai 2014, les chiffres rassemblés par la GRC. Le rapport est intitulé *Femmes autochtones disparues et assassinées: un aperçu opérationnel national,* et l'illustration en couverture, onirique, représente une jeune fille en costume traditionnel, dansant au milieu d'un pré en faisant tinter les dizaines de grelots cousus sur le bas de sa robe. On dirait le rapport annuel d'une ONG; on y décèle une volonté de rédemption et de réparation. Cependant le logo qui surplombe la photo de la jeune Autochtone – un homme à cheval tenant un drapeau, soit une réplique exacte des images de la police montée au XIXe siècle – rappelle irrésistiblement combien la GRC a été un puissant agent de la colonisation dans l'Ouest canadien.

En plus des données sur les meurtriers et les victimes, on y révèle un taux d'élucidation qui contredit l'inertie et le mépris dénoncés par tant de familles, de chercheurs et de rapports: 89 % des homicides de femmes tuées ou disparues non autochtones auraient été résolus, 88 % pour les seules femmes autochtones. Ce taux semble démentir les rapports de HRW et de la commission Oppal sur l'inefficacité policière. Il invalide par conséquent l'idée de l'impunité dont jouiraient les meurtriers de femmes autochtones.

Est-il juste. Est-il mensonger, ou trompeur.

Qu'en a pensé Maryanne Pearce, par exemple.

— En fait, les crimes les plus difficiles à résoudre sont ceux dont les coupables ne sont pas connus de la victime : tueurs en série, etc. La non-élucidation de 12 % des homicides de femmes autochtones correspond probablement à ces meurtres commis par des « étrangers ».

On pourrait alors en déduire que même si la police avait déployé les grands moyens, elle aurait eu du mal à identifier ces 10 à 12 % de meurtriers. L'inertie policière était peut-être masquée par la difficulté des cas.

Craig Benjamin, d'Amnesty International, voit les choses autrement.

— Les chiffres de ce rapport sont fondés sur les homicides reconnus comme tels, précise-t-il. Mais mon problème, ce sont les cas de morts suspectes que la police qualifie hâtivement d'accidentelles. Et, évidemment les disparitions de longue date, très probablement sous-estimées par ce rapport puisque l'enregistrement de l'identité autochtone des mortes et des disparues est encore insuffisant.

Le chiffre, en tout cas, ne dit pas combien certaines enquêtes ont parfois été menées tambour battant par les familles elles-mêmes, qui facilitent le travail des policiers. Les parents de la jeune mère de famille Daleen Kay Bosse, assassinée en 2004 à Saskatoon, ont déboursé 250 000 dollars pour payer un détective privé lorsqu'ils ont compris que la police négligeait le cas de leur fille. Une fois le meurtrier quasi identifié, la GRC s'est accrochée au wagon.

De la même manière, si la disparition de Maisy et Shannon est élucidée un jour, on pourra en créditer Laurie, qui s'est battue pour que le dossier ne sombre pas dans l'oubli. Après la reprise en main malheureuse de l'affaire par l'officier de Mont-Laurier qui avait divulgué les noms de deux suspects, c'est un policier du Service des enquêtes sur les crimes contre la personne de la SQ qui a repris l'enquête, et qui communique régulièrement avec Laurie.

Gordon, lui, s'est retrouvé face à un nouveau cas de disparition dans la réserve. C'était fin octobre 2013.

*

* *

Était-ce un mauvais rêve ; deux femmes de la communauté, une fois de plus, disparaissaient en laissant derrière elles leurs portefeuilles et papiers d'identité. Hallucinante ironie du sort : Laura, une des deux disparues, est la fille de Bridget Tolley, la fondatrice des veillées du 4 octobre, cofondatrice de Families of Sisters in Spirit, qui accueille année après année à Ottawa, et jour après jour sur les réseaux sociaux, les parents ravagés par la mort ou la disparition de leur fille. Et cette fois, l'administration et la police de la réserve ont sorti les grands moyens, enquêtant tous azimuts, organisant des recherches, faisant venir un hélicoptère. La médiatisation presque immédiate de la double disparition de Kitigan Zibi ressemblait à un couronnement du militantisme de Bridget. Mais c'était sa fille, mère de quatre enfants, dont un bébé de trois mois, qui avait disparu. Amère victoire.

J'étais prête à partir à Kitigan Zibi pour assister aux recherches quand Laurie m'a appris que les jeunes femmes avaient été retrouvées en pleine forêt, près du lac Pythonga, à une heure de route au nord-ouest de la réserve. Elles avaient fait la fête et beaucoup bu, s'étaient aventurées dans la forêt on ne sait pourquoi, puis leur voiture était tombée en panne. Elles avaient trouvé refuge dans une cabane, fini par quitter leur abri pour errer dans les bois, jusqu'à la rencontre providentielle avec un travailleur forestier qui les avait ramenées à la réserve.

Je n'ai jamais osé demander à Laurie ce qu'elle avait ressenti pendant ces quatre jours de branle-bas de combat, et après le retour de Laura et Nicole. Comment elle avait fait pour surmonter la terrible impression de déjà-vu, déjà-vécu, la terrible répétition des faits ; et le regain de douleur, le déferlement de mauvais souvenirs ; puis l'inavouable amertume. Pam, elle, ne s'est pas privée de dire à Gilbert Whiteduck, le chef de la réserve, combien elle aurait aimé que la mobilisation soit la même à l'époque – même si finalement, les deux jeunes femmes n'ont pas été retrouvées grâce aux dispositifs de recherche, mais parce qu'elles ont croisé un travailleur forestier. Le sentiment d'être soutenu, épaulé, quel que soit le résultat, aurait permis à Laurie et Bryan de mieux endurer l'épreuve, et de se sentir appartenir à une communauté, à une société.

Mais à ce sentiment d'abandon qui hantait Laurie, à cette frustration immense qu'elle parvenait non sans mal à surmonter, année après année, Gilbert, le chef de la réserve, et Gordon, le chef de la police, opposaient un sincère « Nous avons fait de notre mieux à l'époque ». Gilbert avait arpenté la campagne en compagnie de Bryan pour retrouver des traces, organisé la première conférence de presse, participé à toutes les battues. « Dans ma tête, j'ai refait mille fois l'enquête sur Maisy et Shannon en fonction des nouvelles ressources dont on bénéficie aujourd'hui, m'a expliqué de son côté Gordon. Nous aurions une aide immédiate des services spécialisés, qui seraient venus sur place depuis Montréal, auraient analysé la scène de crime, auraient fait tous ces trucs magiques avec les traces, les taches de sang, etc. » La sq, pourtant, me l'a assuré : il n'y a pas plus de ressources aujourd'hui qu'en 2008. Simplement, les polices de Maniwaki et de Kitigan Zibi n'avaient pas pris conscience de l'urgence, ni tiré les bonnes ficelles, ni fait appel aux équipes compétentes.

Et tandis que la nuit et la neige continuaient de tomber à l'extérieur du poste de police, ce 24 janvier, Gordon a dit, soudain :

— Je connaissais bien Maisy. J'ai été son entraîneur de baseball pendant quelques étés.

— Comment était-elle ?

— Pleine d'énergie. Elle avait du caractère.

Il souriait.

— Elle adorait blaguer, elle était pétillante, joyeuse, insouciante. Elle s'amusait bien, ne se chicanait pas avec les autres ; elle allait vers les gens. Ce n'était pas une fille calme, ça, c'est sûr ! Elle était amusante (il a ri), c'était agréable de l'avoir dans l'équipe. Bon, elle était espiègle… il fallait la surveiller un peu – elle me faisait penser à ma petite-fille. Je connaissais ses problèmes avec sa mère, mais c'était une fille gentille, et je ne m'attendais pas à ce qui lui arrive quelque chose. C'est une gentille fille, s'est-il repris. Pour l'instant, on peut parler d'elle au présent.

À l'automne 2008, la police de Maniwaki avait probablement sous-enquêté parce que la disparition de deux jeunes filles autochtones n'était pas assez préoccupante à leurs yeux. Trop loin. Gordon et son équipe avaient tardé à prendre la mesure de la situation pour des raisons presque inverses : parce que Gordon connaissait bien Maisy et ne pouvait concevoir qu'à cette jeune fille, ado en crise, mais joyeuse, mais énergique, il soit arrivé quelque chose de grave. Trop près.

IX

TORONTO,
18 DÉCEMBRE 2013

« Un bel homme, hein ? » m'a lancé Laurie en riant. Elle apprécie ce jeune journaliste brun aux yeux bleus, Brendan Kennedy, qui a couvert la disparition de Maisy et Shannon pour le *Ottawa Citizen.* Dix articles en onze mois. Si Laurie s'en souvient avec une certaine émotion, c'est que Kennedy, alors jeune stagiaire, a fait l'inverse de ce que font la plupart des journalistes lorsqu'une femme autochtone disparaît ou est assassinée : il a suivi l'affaire avec finesse et persévérance. Mais il a quitté Ottawa après son dixième article, le plus important, écrit pour l'anniversaire de la disparition. Il travaille désormais à Toronto, pour le *Toronto Star,* où il est chargé de suivre l'équipe de baseball de la Ville reine, les Blue Jays.

Cependant la précieuse implication de Kennedy n'a pu rivaliser avec les déluges médiatiques qui accompagnent les meurtres ou fugues de jeunes non-Autochtones, et, plus précisément, des jeunes Blancs. Dans sa lettre ouverte, Laurie évoque la mobilisation policière lors de la fugue de

Brandon Crisp, le fou de jeux vidéo, ou lors des assassinats de deux jeunes femmes blanches, Ardeth Wood et Jennifer Teague, en 2003 et 2005 à Ottawa ; si elle avait lu la presse francophone, Laurie aurait probablement remarqué le vaste déploiement de la SQ en 2009 pour tenter de retrouver le jeune David Fortin, dont le visage voisinait avec celui de Maisy sur les affiches de l'organisation Enfant Retour Québec placardées dans les aéroports.

Et puisque souvent, dans les cas de disparition, police et médias se nourrissent mutuellement, les noms et les photos de ces quatre jeunes Blancs ont envahi les journaux et les écrans de télé pendant de très longs mois.

Sans oublier Boomer, le bébé lion.

Le 18 décembre 2013, à 14h59

Bonjour Emmanuelle,

Désolé pour le temps que j'ai pris à vous répondre. Je suis d'accord pour que mes propos soient reproduits dans votre livre. [...]

J'ai couvert la deuxième conférence de presse, un mois après la disparition. À partir de ce moment-là, j'ai continué à couvrir l'histoire de Maisy et Shannon. En fait, je n'avais pas entendu parler de leur histoire avant cette deuxième conférence de presse.

Ma réponse à votre deuxième question sera mitigée. Je suis d'accord avec Laurie jusqu'à un certain point, mais pas totalement. Les cas sont difficiles à comparer du fait de certaines différences clés. [...] Le cas de Brandon Crisp a généré une couverture médiatique bien plus large que pour Maisy et Shannon, et je pense qu'il est juste de dire que c'était dû, au moins en partie, à un racisme inhérent. Mais il y avait d'autres différences, notamment dans la manière dont les services de police ont pris en main la disparition, et comment cela a affecté la couverture médiatique. D'abord, le départ de Brandon a été signalé le matin même de sa disparition. En ce qui concerne Maisy et Shannon, elles avaient disparu depuis quelques jours quand la police a été alertée.

La police a commencé à chercher Brandon immédiatement, en avertissant les médias. La première réponse de la police de Kitigan Zibi et de la Sûreté du Québec était que Maisy et Shannon avaient probablement fugué et seraient bientôt de retour. Ce seul fait est révélateur du racisme envers les jeunes femmes autochtones, même au sein de la police de la réserve. Le fait qu'aucun service chargé de l'investigation ne démontre une volonté urgente de trouver Maisy et Shannon, ou n'implique les médias, a certainement joué un rôle.

L'histoire de Brandon contenait également l'aspect très excitant de la dépendance aux jeux vidéo, qui était malheureusement un sujet plus brûlant que la pauvreté persistante, les difficultés de la jeunesse autochtone, ou les femmes autochtones disparues et assassinées. […]

Avec tout le respect que je dois à Laurie, je ne suis pas d'accord avec elle concernant le lionceau Boomer. Je comprends ce qu'elle veut dire, bien sûr, mais quand on considère la rareté de la situation – un lion perdu dans la région d'Ottawa –, il était évident que cet événement serait couvert par tous les médias locaux. Ce qui n'était pas une raison pour ne pas informer régulièrement les lecteurs du cas de Maisy et Shannon. [...]

J'ai essayé autant que possible de raconter l'histoire de Maisy et Shannon avec compassion. Je voulais dresser un portrait précis mais aussi respectueux d'elles et de leurs familles. C'était aussi important pour moi de pointer l'ineptie et l'apathie des deux services de police dans leur travail d'enquête, que le conflit juridictionnel avait rendu encore plus compliqué.

Je me battais pour qu'il y ait un article chaque mois pour faire le point, et le dernier grand article écrit un an après leur disparition a été préparé et rédigé entièrement pendant mon temps libre. Pendant deux semaines, j'étais de permanence la nuit au journal, et je me rendais chaque jour à Kitigan Zibi et revenais le soir à Ottawa pour ma permanence. Il y avait à peu près zéro intérêt de mes rédacteurs en chef pour cette histoire. Est-ce que c'était dû à un racisme latent, ou bien ils ne voyaient pas d'intérêt dans cette histoire qui n'avait pas fait beaucoup de bruit, je ne sais pas. J'ai quitté le *Ottawa Citizen* pour le *Toronto Star* peu de temps après mon dernier article sur Maisy et Shannon, et je n'ai jamais discuté avec les rédacteurs en chef de leur manque d'intérêt.

J'espère que tout cela vous aidera.

Brendan Kennedy

Le « zéro intérêt » dont parle Brendan Kennedy est d'autant plus notable que son journal d'alors, le *Ottawa Citizen,* a précisément rempli des pages et des pages, quelques années plus tôt, avec les histoires d'Ardeth Wood et Jennifer Teague. La chercheuse Kristen Gilchrist a comparé cette couverture médiatique à celle consacrée à l'assassinat de trois jeunes femmes autochtones en Saskatchewan : Daleen Boss, Melanie Geddes et Amber Redman[1]. Les six femmes (Alicia Ross était la troisième Blanche de l'échantillon, assassinée en 2005) travaillaient ou suivaient des études, et n'étaient ni fugueuses ni prostituées. Sur un laps de temps donné, les noms des trois femmes blanches ont été mentionnés six fois plus que ceux des trois Autochtones. Les 3 Blanches ont fait l'objet de 187 articles qui leur étaient spécialement consacrés dans la presse locale, tandis que 53 articles ont été rédigés sur les 3 jeunes Autochtones. La moins médiatisée des jeunes femmes blanches a fait l'objet de 33 articles, tandis que la plus médiatisée des jeunes femmes autochtones a été le sujet de 26 articles. Tout est à l'avenant : les titres, ruisselants d'émotion quand il s'agit des jeunes femmes blanches (« Jenny, on t'aime, tu nous manques »), factuels pour les jeunes Autochtones (« La Gendarmerie identifie les restes d'une femme ») ; les adjectifs, lyriques pour les Blanches (Alicia est « un lys au milieu des épines » dotée d'un « sourire lumineux ») et convenus pour les femmes autochtones (« timide, gentille, attentionnée, une bonne mère, jolie, éduquée, positive »). Les photos, immenses pour les unes, taille passeport pour les autres. L'emplacement des articles : entre deux sujets sur

---

1. Kristen Gilchrist, « "Newsworthy" Victims ? Exploring Differences in Canadian Local Coverage of Missing/Murdered Aboriginal and White Women », *Feminist Media Studies*, vol. 10, n° 4, 2010.

une tempête de neige et les voitures anciennes pour les jeunes Autochtones, à la une ou dans les premières pages pour les jeunes Blanches. Et ainsi de suite. Seul lot de consolation, selon Kristen Gilchrist : dans 12 des articles sur les morts de Daleen, Melanie et Amber, elle a noté que les journalistes évoquaient volontiers la violence structurelle qui frappe les femmes autochtones.

L'actualité de l'année 2014 – les rapports du comité spécial et de la GRC, le rapport du rapporteur spécial des Nations Unies pour les peuples indigènes, les suites du meurtre de la jeune Tina Fontaine – a accru le nombre d'articles abordant le problème des femmes autochtones assassinées ou disparues, très souvent illustrés par les visages de Maisy et Shannon. Leurs frais minois, le fait qu'elles aient disparu simultanément, l'image d'une Laurie émue brandissant les pancartes « *Missing* » sur les marches du parlement : autant d'éléments qui expliquent cette présence iconique. Pourtant, d'elles, sauf à lire les articles de Kennedy, qui brosse des portraits à la fois délicats et sans complaisance, le public n'a jamais su grand-chose.

Ainsi nous nous trouvons dans une situation inverse à celle de la théorie du « mort kilométrique » qui veut que le drame qui se déroule à deux pas de chez soi touche bien plus qu'un décès survenu à l'autre bout de la terre ; et les médias le savent, obsédés qu'ils sont par la « proximité avec le lecteur ». Voilà qu'avec les Autochtones assassinées, cette théorie ne s'applique pas ou, plutôt, les kilomètres qui séparent les familles autochtones (même en pleine ville) des lecteurs blancs comptent triple, quadruple, quintuple. Le monde autochtone est étranger aux Canadiens, plus encore sans doute que ne le sont les immigrés venus d'Asie ou d'Afrique; le ressentiment est puissant envers ces Premières Nations auxquelles on reproche de ne pas adhérer au pacte social tout en dépendant des subsides fédéraux qu'ils sont accusés de gaspiller, dont on ne comprend pas que les villages soient parfois dignes du tiers-monde à quelques kilomètres de très prospères mines de pétrole, dont les destinées sont souvent marquées par le malheur même quand, parfois, les moyens financiers sont là, comme chez les Cris de la Baie-James; dont les hommes et les femmes sont surreprésentés dans le système carcéral. Ainsi, la difficulté à s'identifier, une forme de stupéfaction amère devant le fossé culturel en dépit de plus de quatre cents ans de cohabitation, l'ignorance des spoliations et du traumatisme des pensionnats... alimentent ce silence.

Le 30 janvier 2014, à 14h03

Bonjour Emmanuelle,

Je suis vraiment désolé de ne pas avoir répondu à vos questions le mois dernier. [...]

J'ai décidé de travailler sur l'affaire sur mon temps libre parce que je pensais que c'était une histoire importante qui devait être racontée de la manière la plus complète possible. J'aurais préféré y travailler pendant mes journées rémunérées au *Ottawa Citizen,* mais quand j'ai compris que ce n'était pas possible je me suis dit que je n'avais pas le choix. Je ne voulais pas que l'histoire soit tue, et je pensais qu'elle méritait plus qu'une attention intermittente.

À propos de l'intérêt de mes rédacteurs en chef, je voudrais clarifier deux ou trois choses. Ils m'ont demandé d'assister à la deuxième conférence de presse (je crois que c'était en octobre 2008, un mois après la disparition ; c'était le premier article que j'écrivais sur Maisy et Shannon) et quand je voulais faire des mises à jour, ils m'autorisaient à les faire pendant mon temps de travail. C'est pour le grand article écrit à l'occasion de l'anniversaire de leur disparition que je n'ai pas été payé. [...] Je dois dire que le journal a quand même été suffisamment intéressé par mon travail pour le publier sur deux pages pleines. Je n'ai pas su pourquoi je n'avais pas pu prendre trois jours pour y travailler, mais je pense que c'était parce que j'étais stagiaire et que mon travail était de couvrir l'information quotidienne. [...]

J'espère que ça vous aide. Dites-moi si vous avez d'autres questions.

BK

Ce qui est difficile, finalement, pour les journaux locaux, c'est de s'approprier les histoires complexes, et de les rendre lisibles et touchantes. Et les jeunes femmes vulnérables, qu'elles soient autochtones ou non, traînent derrière elles des histoires complexes. Raconter l'assassinat des blondes Ardeth et Jennifer, l'une doctorante en philo, l'autre championne de soccer, c'est raconter l'impensable, ce qui n'aurait pas dû arriver, parce qu'elles ne vivaient pas dans ces quartiers défavorisés où les hommes tuent des femmes pour assouvir leur rage sociale ; des jeunes femmes virginales avaient croisé le mauvais homme au mauvais moment. Raconter Shannon et Maisy nécessitait d'autres ingrédients. La réserve et ses jeunes hommes abîmés et frustrés ; la proximité de la communauté algonquine avec une petite ville blanche ; les parents cassés de Shannon ; l'émancipation incontrôlée d'une Maisy précocement indépendante comme le sont souvent les jeunes filles autochtones ; la transmission intergénérationnelle de traumatismes issus de l'histoire coloniale. Avait-on envie de rentrer dans cette complexité et de fatiguer le lecteur, voulait-on le transporter ailleurs. Et lorsque les articles sur les assassinats de jeunes Amérindiennes s'appuient sur ces ingrédients psychosociaux et sur les « comportements à risque », ils omettent alors de décrire ce que ces jeunes filles ont en commun avec une Ardeth ou une Jennifer ; des goûts et des talents, par exemple. Maisy et Shannon buvaient, fumaient de la marijuana et fréquentaient des mauvais garçons, mais Maisy savait jouer de la clarinette, Shannon montait à cheval ; Maisy voulait devenir styliste de mode, Shannon était chez les cadets ; Maisy savait coudre des tenues complexes et ouvragées, Shannon allait devenir infirmière ; Maisy adorait dessiner. Les familles des filles autochtones assassinées ou disparues témoignent souvent de ce manque de curiosité des journalistes, qui s'arrêtent généralement aux stigmates. D'autres familles, à l'inverse, se méfient des médias et sont peu enclines à nourrir le *storytelling*.

Deux éditoriaux rendent compte d'une forme d'exaspération et traduisent ce fossé culturel et social. En 1992, en l'espace de quelques mois, trois jeunes femmes autochtones, prostituées, ont été violées et sauvagement assassinées à Saskatoon par un tueur en série, John Crawford (Shelley Napope, Eva Taysup, Calinda Weterhen). Lors de l'enquête comme lors du procès, la couverture médiatique a été d'une extrême maigreur, surtout comparée à celle de procès de tueurs en série canadiens s'attaquant à des femmes blanches (celui de Paul Bernardo, par exemple). Lorsque cette critique est parvenue aux oreilles de l'éditorialiste du *Star Phoenix*, Les MacPherson, il a justifié ce silence en incriminant « la quasi-absence de relations entre les victimes [autochtones] et la communauté dominante. Elles vivaient dans les bas-fonds, où l'on tombe à l'abri des regards. [...] Ces jeunes femmes ne maintenaient pas de contact régulier avec leurs familles. Elles n'étaient pas attendues à la maison pour le souper. [...] Plutôt que de critiquer les Blancs qui ne se préoccupent pas davantage de l'assassinat de ces femmes, on peut se demander qui prenait soin d'elles lorsqu'elles étaient encore en vie[2] ».

« Elles n'étaient pas attendues à la maison pour souper » et ne méritaient pas, conséquemment, l'attention médiatique. MacPherson affiche son racisme social et se trompe aussi, incapable d'imaginer que des liens puissent être conservés entre

---

2. Cité dans Warren Goulding, *Just Another Indian: A Serial Killer and Canada's Indifference*, Calgary, Fifth House, 2001.

des jeunes prostituées et leurs parents (ce qui pourtant était le cas des victimes de Crawford). Dans un éditorial non signé du *Ottawa Citizen,* dont Brendan Kennedy n'est pas l'auteur, on trouve une approche beaucoup moins outrancière, mais finalement pas si éloignée, pour expliquer, cette fois, le moindre investissement de la police dans le dossier de Shannon et Maisy. Le parti-pris est bienveillant : l'auteur écrit que « les Autochtones ont raison de penser que si deux jeunes filles blanches de la classe moyenne avaient disparu d'une quelconque banlieue, on n'aurait pas vu de négligence policière[3] ». Puis, cherchant l'équilibre, craignant le politiquement correct et la complaisance, l'auteur met en cause ce qui a conduit les filles à adopter des conduites dangereuses : les négligences parentales, les manquements et les traumatismes – la déscolarisation de Maisy, l'alcoolisme de Bryan, etc. « Même les services de police les plus efficaces, les organismes gouvernementaux les plus éclairés et les travailleurs sociaux les plus bienveillants ne sont pas toujours capables d'écrire un *happy end.* » Il écrit aussi : « Quant à Maisy, [...] il semble qu'elle n'avait aucun endroit qu'elle puisse appeler sa "maison". Elle avait quitté la réserve pour vivre avec son petit ami, puis avait décidé au bout d'un mois de vivre avec sa grand-mère. » Maisy, suggère l'éditorial, n'était pas attendue, elle non plus, pour le souper.

Maisy, adolescente « hors de contrôle », comme me l'avait écrit son père, Rick, était pourtant tout

---

3. « Missing Maisy and Shannon », *Ottawa Citizen,* 11 septembre 2009.

sauf abandonnée. Laurie rêvait que son aînée revienne à la maison et avait sollicité les services sociaux à ce sujet ; Maisy avait passé une partie de l'été 2007 chez Rick en Ontario, qui espérait lui aussi la voir s'installer chez lui ; la jeune fille était choyée chez Lisa, depuis de longs mois – et les soupers de Lisa, la grand-mère cuisinière, valaient qu'on y assiste. Dans un cas comme dans l'autre, il semblait exclu aux éditorialistes qu'on puisse maintenir des liens familiaux dans le chaos ; et ce chaos justifiait, à tout le moins, que journalistes et policiers baissent les bras.

Il est plus facile de désespérer des Autochtones que de désespérer de soi-même (de son ignorance, de ses insuffisances).

Brendan Kennedy, qui avait passé du temps dans la communauté, avait joué une autre partition : en écoutant la douleur de Laurie, en décrivant les jeunes filles comme des personnages complexes, il avait déplacé son centre de gravité.

Le 30 janvier 2014, à 16h22

Rebonjour Emmanuelle,

J'ai 29 ans, presque 30. J'avais 24 ans quand j'ai commencé les reportages sur Maisy et Shannon, et 25 quand je les ai finis. C'est certainement l'histoire dans laquelle je me suis le plus investi. Je voudrais dire aussi que c'est une des plus injustes sur lesquelles j'aie jamais travaillé.

Je ne me souviens pas avoir lu d'articles ouvertement racistes sur Maisy et Shannon. J'ai davantage ressenti la discrimination dans le manque d'attention, dans l'apathie du public à l'égard de leur disparition. […]

J'espère que ça vous aide.

Bonne chance,

BK

OTTAWA,
31 JANVIER 2014

Maria Jacko, la tante de Maisy, vivait déjà à Ottawa lorsque Maisy, dont elle était très proche, a disparu. Les 140 kilomètres de distance avec Kitigan Zibi ajoutaient à son sentiment d'impuissance.

Mue par une phénoménale énergie – était-ce celle du désespoir ou celle de la sportive accomplie qu'elle est, était-ce l'énergie de sa résilience (Maria revenait de loin, qui avait perdu sa mère à 7 ans, et un compagnon peu de temps avant la disparition de sa nièce; qui avait vécu, jeune fille, dans une famille d'accueil) –, Maria s'est lancée comme pour les marathons qu'elle a l'habitude de courir, même si celui-ci s'annonçait sans fin. Elle a d'abord conçu le site internet findmaisyandshannon.com pour recueillir des pistes et des dons, puis contacté les associations, dont l'organisme de secouristes bénévoles RES Global 1 (Recherche et sauvetage bénévole d'Ottawa-Gatineau).

— Ils étaient surpris de mon appel, m'a raconté Maria ; ils m'ont dit que c'était habituellement la police qui leur téléphonait pour organiser des battues. Je leur ai expliqué la situation, les deux services de police chargés de l'enquête, le fait que notre famille n'avait pas de bons rapports avec eux… Ils ont demandé à voir le chef de la réserve, et nous avons organisé une rencontre avec le chef Whiteduck et la police de Kitigan Zibi. Il y avait aussi Laurie, Bryan, moi et ma sœur Penny. Mais le temps que tout cela s'organise, l'hiver était arrivé. La première grande battue, en décembre 2008, s'est faite avec de la neige jusqu'aux genoux.

C'est aussi à l'initiative de Maria que la GRC a ajouté les visages de Maisy et Shannon sur son portail web consacré aux enfants disparus. «Ils étaient étonnés que les polices de Maniwaki et Kitigan Zibi ne soient pas entrées en contact avec eux», a ajouté Maria.

Quand je l'ai rencontrée pour la première fois, un matin d'hiver, Maria vivait seule avec ses trois filles dans une petite maison de briques, à Ottawa. Je l'ai attendue devant sa porte; elle a débarqué en Jeep jaune et blouson fluo, menue et ravissante avec sa frange brune, elle paraissait avoir 25 ans, mais en avait 38. On aurait dit une superhéroïne de *comics* ou de jeux vidéo, et son visage rappelait celui de sa nièce Maisy. Elle travaillait alors comme technicienne de laboratoire tout en terminant une maîtrise sur les stratégies de réussite des athlètes autochtones à l'Université d'Ottawa; quelques mois plus tard, elle serait embauchée par le ministère fédéral des Affaires autochtones. On s'est assises dans sa salle de séjour, entre ses bibelots amérindiens et ses caniches énervés. Elle a parlé d'une voix neutre, sans émotion, alors qu'elle était dans l'œil du cyclone, comme pour tempérer son récit.

La maison de Maria est à deux pas de Vanier, le quartier de la mère de Shannon, un ancien bastion ouvrier francophone, un quartier défavorisé où vivent des immigrés d'Afrique et d'Asie et de nombreux Autochtones. Parce que les deux familles croyaient que les filles étaient peut-être passées par là, deux recherches y avaient été menées, l'une par Laurie et la police de la réserve deux semaines après la disparition, et l'autre, un mois plus tard, par une association locale. Sur Montreal Road, l'artère principale de Vanier (petites échoppes et pizzerias, magasins de produits à bas prix, logements sociaux, église en béton), les groupes avaient accroché des affiches et interrogé commerçants et passants. Puis, grâce au site internet, aux articles de journaux, aux affichettes, Maria avait été contactée de toute part, pendant des mois, par celles et ceux qui croyaient avoir vu les filles.

Maria, elle, continuait de sauter dans sa voiture au moindre signalement. L'insuffisance policière a fait d'elle la détective de la famille. On l'a appelée pour une jeune fille en sweat à capuche qui traînait dans la rue; oui, elle lui ressemblait, mais non, ce n'était pas Shannon. La serveuse du Star Palace, un bar karaoké de Montreal Road fréquenté par la jeunesse autochtone, lui a dit qu'une fille avec une cicatrice avait vu Shannon et Maisy dans une fumerie de crack, et Maria a traîné pendant plusieurs semaines au Star Palace dans l'espoir de croiser la fille avec la cicatrice, qui ne s'est jamais montrée. Vanier fantasmait. Une Inuite du quartier affirmait avoir passé quelques jours avec Maisy et Shannon, qui, ajoutait-elle, avaient volé 12 000 dollars dans une tabagie de Kitigan Zibi et se baladaient avec des téléphones jetables. Quand la police est venue l'interroger, elle a dit avoir tout inventé.

Il y a aussi cet employé d'un cinéma de Hull, de l'autre côté de la rivière, côté Québec, qui a appelé Maria pour lui dire qu'il avait les filles, là, sous ses yeux, au milieu d'un groupe, qu'il fallait venir tout de suite, et Maria avait roulé une demi-heure avant de découvrir une fille qui, oui, ressemblait à Maisy ; mais qui était plus petite et plus ronde.

— Le plus bouleversant, c'est quand la SQ a appelé Laurie, environ huit mois après la disparition, pour lui dire que Maisy était peut-être à l'hôpital de Hull, a poursuivi Maria de sa voix calme. Laurie m'a téléphoné depuis la réserve et j'ai tout de suite pris la voiture. En roulant, je pleurais, mon cœur battait à toute vitesse. Quand je me suis garée, j'y croyais, je me disais que j'allais la retrouver ! C'était un sentiment étrange, parce qu'à cette période, j'avais fini par me convaincre qu'elles étaient mortes… Je suis arrivée, j'ai vu un policier qui m'a dit : « Elle ne nous parle pas », puis j'ai vu cette jeune fille sur un lit qui n'était pas Maisy, je ne me souviens pas des détails, je ne sais pas pourquoi elle était là, avait-elle des menottes, non, je ne crois pas ; je lui ai simplement demandé son nom, elle refusait de parler aux policiers mais elle m'a répondu tout de suite. Kayra, ou quelque chose comme ça.

« Kayra », se souvenait-elle, venait de Chisasibi, une réserve crie[1] de la baie d'Hudson, dans le nord du Québec, à 1 270 kilomètres de Hull, 20 heures de voiture, 6 heures d'avion, escales comprises. Pourquoi donc était-elle sur ce lit d'hôpital ; et toutes ces filles qui sortaient de la bouche de Maria – la fille à la cicatrice, Kayra la mutique, l'Inuite mythomane – étaient-elles des fantômes chargés de glisser des indices, qu'il fallait écouter avant de poursuivre son chemin, de continuer, de chercher ailleurs.

Maria a continué.

— J'ai parlé plusieurs fois au téléphone avec Eileen, une voyante ; elle me disait que Shannon et Maisy étaient mortes et enterrées, non pas n'importe comment, sous des branches, mais dans un vrai cimetière. Je suis allée voir M., un voyant connu à Ottawa, qui passe à la radio. Il m'a dit qu'elles étaient peut-être vivantes, mais que si elles étaient mortes, elles étaient enterrées dans du ciment ; il m'a parlé du Nord. J'ai appelé un voyant de New York, qu'une association de familles d'enfants disparus m'avait conseillé. Lui ne voyait rien, ne sentait rien. Je crois que j'ai vu 5 voyants, et chaque fois j'ai dû débourser 100 ou 150 dollars.

— Et Laurie sait que tu as consulté des voyants ?

— Oui, mais elle n'y croit pas, et moi je n'y croyais pas avant la disparition. Aujourd'hui, je ne sais pas, je crois que ça peut nous aider. Nous avons aussi consulté un homme-médecine ojibwé. Nous allons peut-être organiser avec lui une cérémonie

---

1. Les Cris sont le peuple amérindien le plus important du pays.

de la tente tremblante. C'est quelqu'un qui a déjà eu des révélations. À Kitigan Zibi, certains ont eu des visions, comme ma tante Ethel, par exemple ; elle a *vu* les corps des filles sur les rails du chemin de fer situé à proximité de l'appartement de Bryan et Shannon, à Maniwaki. Alors, un jour, avec un groupe d'amis, nous y sommes allés avec des pelles et des petits véhicules quatre-roues. C'était en plein hiver. Nous avons passé deux jours à creuser exactement à l'endroit qu'elle avait identifié dans sa vision. Mais nous n'avons rien trouvé. Ethel est sûre que les corps ont été là, à un moment.

Car Maria a fouillé, concrètement, à Kitigan Zibi, week-end après week-end. Elle a effectué une cinquantaine de recherches avec son compagnon d'alors, avec Bryan, avec des amis. Elle ne fouillait pas n'importe où. Elle fouillait sur les anciennes terres d'un coach de hockey de Maniwaki, celui qui s'est suicidé en prison après sa condamnation pour viol de mineure, soupçonné un temps puis innocenté post-mortem – pour Maria, qui avait eu entre les mains une lettre anonyme décrivant avec précision son comportement le lendemain de la disparition, il restait un suspect valable. Elle ne fouillait pas n'importe comment. Elle avait acheté un détecteur de métaux.

— Maria et moi, on a marché plusieurs miles sur cette route, le long des terres du coach, hein Maria ?

Maria et moi étions chez Bryan, c'était la fin de l'hiver. Il lui souriait.

— Une fois, on s'est perdus, tu te souviens ?

Elle a ri.

— Il faudra qu'on y retourne, a dit Bryan.

— J'ai une nouvelle piste. J'ai appris qu'il avait eu une maison à Egan-Sud (un village voisin de Maniwaki). Un nouvel endroit où chercher. Mais tu sais, j'ai oublié mon détecteur de métaux à Ottawa ce week-end…

— Le détecteur de métaux… j'y ai pensé… Le seul truc en métal que Shannon avait sur elle quand elle a disparu, c'est ce collier, je crois que la chaîne était en argent, avec un grain de riz sur lequel j'avais fait graver son nom. Je lui avais acheté au pow-wow. Mais bon, le détecteur doit pouvoir quand même capter ça. Il marche ! La dernière fois, tu te souviens…

— On avait trouvé quelque chose, ça bipait, on s'est regardés, on était contents… mais c'était juste un bout de clôture.

Ils ont ri tous les deux.

XI

SIX-NATIONS,
14 MARS 2014

J'ai mis des mois à trouver les bons mots pour écrire à Rick Jacko, le père de Maisy, le premier mari de Laurie. Il avait quitté la réserve quand Maisy et Damon étaient encore petits. On le disait fragile, dévasté par la disparition de sa fille. Mais à peine avais-je envoyé ma sollicitation que ses réponses sont venues, tombant par petits messages successifs à plusieurs heures ou semaines d'intervalle.

Il m'écrivait depuis Six-Nations, la communauté mohawk où il vit désormais, en Ontario.

Question #1. Pendant l'été 2007, je suis venu la chercher à Kitigan Zibi. Elle a passé quelques mois chez nous. Les week-ends d'été, dans les pow-wow, je vends mon artisanat, mes cartes postales, mes décalcomanies, mes autocollants. Elle m'a accompagné partout, elle adorait ça! Je voulais lui montrer à quoi ressemblait ma vie. Vous savez que je ne parle jamais aux gens comme je suis en train de vous parler? Ça me fait pleurer... Tous mes amis me parlent de sa disparition et moi, je change de sujet. C'est

très difficile. La dernière fois que j'ai vu Maisy…
C'est tout à l'heure, sur mon frigo! Elle m'avait
donné une photo d'elle bébé, moi la tenant dans
mes bras… Le plus beau cadeau qu'on m'ait fait,
la photo est toujours là! Je continuerai de vous
envoyer des informations sur mon aînée quand
je pourrai. Je ne réponds pas tout d'un coup,
c'est difficile. Déjà, vous m'avez fait pleurer.

Rick a glissé la photo dans le corps du message.
Une Maisy minuscule et sérieuse, nouvelle-née, sa
petite tête posée dans la main de son père.

Question #2. La dernière fois que je l'ai vue…
Cet été qu'elle a passé ici… Je me souviens
qu'elle était devenue tellement belle, et combien
de petits voyous j'ai dû décourager, repousser,
et évidemment, ça la mettait en colère… Je me
souviens qu'elle essayait tout le temps de me
jouer des tours, comme si je ne les connaissais
pas déjà tous… Nous avons marché, parlé, joué
au football… C'est une très bonne coureuse…
Je la laissais conduire le truck… Maisy disait
qu'elle était heureuse avec moi, mais qu'être
si loin de ses frères et sœur la rendait triste.
Elle a choisi de retourner à Kitigan Zibi. J'aurais
tellement voulu qu'elle connaisse ma petite
Wiley, sa nouvelle sœur, et son frère Manny…
Je sais qu'elle les aurait adorés, elle adorait
les tout-petits!

Question #3. Je vis à sept heures de route de
Kitigan Zibi. C'est ce qui fait mal. Je n'aime pas
mettre mon visage devant les caméras, mais oui,
j'ai participé aux recherches, aux veilles, aux
marches, aux courses… Tous les jours, je pleure
pour ma fille. Elle me manque tellement! Je vais
continuer à vivre, mais perdre un enfant et
essayer de vivre une vie normale… Je me

> souviens que c'était un bébé adorable, très
> calme, toujours souriante, me faisant toujours
> des câlins et des baisers…

Rick fabriquait des petits objets – comme ces petites plumes violettes à accrocher au veston – portant les noms des filles, Shannon et Maisy, qu'il vendait lors des encans organisés pour venir en aide aux familles des disparues ou assassinées.

Message suivant, des mois plus tard :

> Vous vous souvenez que vous m'aviez demandé
> où j'étais quand j'ai appris que Maisy avait
> disparu ? J'ai eu des problèmes et j'étais en
> prison à Toronto, j'ai dû attendre le 24 novembre
> pour sortir, et je suis allé directement à Kitigan
> Zibi. J'ai perdu trois mois de ma vie.

Rick, détenu pour conduite en état d'ivresse, est sorti à temps pour participer aux grandes battues de décembre et de mai, à Kitigan Zibi. Il a lui aussi marché dans la forêt et fouillé dans les broussailles, anonyme et silencieux. « Alors que nous étions assis pour faire une pause, a écrit la militante montréalaise Maya Rolbin-Ghanie, un homme à qui nous avions tous envie de parler a fini par révéler son identité. Jusqu'alors, il semblait ne vouloir rien en dire. Quand j'ai fini par lui demander d'où il venait, il a dit qu'il était le papa de Maisy. Il paraissait très jeune, et il paraissait aussi très fatigué[1]. »

---

1. Maya Rolbin-Ghanie, « The Search for Maisy and Shannon », *The Dominion,* 11 mai 2009, www.dominion paper.ca/weblogs/%5Buser%5D/2650

XII

DANS LE BOIS, KITIGAN ZIBI, 2 MAI 2009

J'ai sous les yeux des photos de la battue de mai 2009 dans la forêt de Kitigan Zibi. Visages concentrés de marcheurs en anorak écoutant les instructions, munis de grands bâtons; puis les mêmes, penchés vers le sol, dans un boisé serré, strié de troncs minces et élancés. Ils étaient 240: des habitants de la réserve et de Maniwaki et des volontaires venus d'Ottawa et de Montréal.

Parmi eux, aux côtés de Laurie, de Rick, de Maria, il y avait Maryanne Pearce. Elle avait alors entamé sa thèse de doctorat sur les femmes assassinées ou disparues au Canada[1]. Fonctionnaire au gouvernement fédéral, spécialisée dans les questions de santé et de violence faite aux femmes, Pearce a conçu des programmes en santé et en développement économique destinés aux communautés autochtones. Pendant sept ans, pour les

---

1. Maryanne Pearce, *An Akward Silence: Missing and Murdered Vulnerable Women and the Canadian Justice System,* Université d'Ottawa, 2013.

besoins de sa thèse, elle a bâti une banque de données des femmes assassinées ou disparues ; elle a découvert qu'environ un quart d'entre elles étaient autochtones. En participant à la battue, m'étais-je dit, Maryanne avait sauté dans le décor ; ses statistiques, son épuisante compilation de données morbides prenaient d'un coup un tour concret.

— Il y a beaucoup d'histoires dont les visages et les noms me hantent. Mais pour Shannon et Maisy, qui avaient la vie devant elles, et l'âge de ma fille, je ressentais quelque chose de particulier. Et là, je pouvais agir.

Nous étions dans une petite pizzeria, à Ottawa. Pearce : une quadragénaire blonde, au visage marqué, qui parlait vite, intensément.

— On s'est tous retrouvés à 7 h 30 du matin, Amnesty International avait loué trois bus, les gens de RES Global 1 avaient expliqué comment s'habiller et ce qu'il fallait apporter : un grand bâton ou un manche à balai. Dans le bus, il y avait des militants de l'AFAC, d'Amnesty… Bref, nous étions tous plutôt du genre à passer la journée derrière un bureau. Juste à côté de moi était assise une femme dont la cousine avait été assassinée, quelque part au Labrador. Elle avait attendu longtemps avant que le corps soit retrouvé et qu'elle sache ce qui lui était arrivé. Une femme très gentille, qui voulait aider. Quand nous sommes arrivés après deux heures de route, Laurie est montée dans chacun des trois bus. Elle nous a parlé de manière très… On pouvait sentir sa force, son énergie. Elle parlait très bien. Elle nous a remerciés, sachant pourtant que ce que nous allions chercher dans les bois, c'était les restes de sa fille et de l'amie de sa fille... Quand elle est redescendue du bus, nous étions silencieux, et plusieurs d'entre nous avaient la gorge serrée et les larmes aux yeux.

— Et donc... vous avez marché, marché...

— Oui. Je n'avais jamais fait ça. Je sors d'une maladie qui a duré deux ans et demi, et je ne crois pas que j'en serais capable à nouveau. C'était dans les bois, à proximité du centre communautaire de la réserve. On devait être capable de toucher les doigts du voisin en tendant les bras, et marcher lentement. Parfois, on devait ralentir, quand il y avait des ravins... Nous étions une quinzaine par équipe, en ligne, à regarder et fouiller le sol avec nos bâtons. S'il y avait une grande flaque, on devait la traverser, on se retrouvait dans l'eau... Les gens de RES Global 1 avaient des GPS pour identifier les zones déjà explorées, et des radios pour communiquer.

— Est-ce que quelqu'un a trouvé ou vu quelque chose?

— Des bouts de vêtements, de chaussures, des déchets... Rien de significatif.

— Est-ce que vous vous souvenez ce que vous ressentiez?

— Je pense que nous voulions tous trouver un élément qui aiderait à comprendre. Mais personne n'avait envie de trouver quelque chose qui signifiait qu'elles étaient mortes. Moi, j'étais bouleversée.

En rencontrant Maryanne, j'ai eu l'impression de rejoindre quelqu'un du club : je n'étais donc pas seule à connaître par cœur des noms et des histoires de mortes, à en rêver la nuit ; et là-dessus, Maryanne avait plusieurs années d'avance sur moi. Pendant que nous mangions nos salades du bout des lèvres, trop absorbées par notre discussion, et que je l'interviewais sur sa thèse qui venait d'être rendue publique et qui faisait des vagues – c'était avant le rapport de la GRC, et le chiffre qu'elle révélait sur la proportion de femmes autochtones parmi les disparues ou assassinées était le plus élevé jusqu'alors –, elle m'a dit :

— Quand je parle de ma thèse, je ne parle pas au nom du gouvernement ou en tant que fonctionnaire du gouvernement fédéral. Mon travail de fonctionnaire et mon travail de chercheuse sont très séparés, vous comprenez ?

C'était plus compliqué que ça, mais je ne l'ai découvert qu'en décortiquant les premières pages de sa thèse – et je ne m'attendais pas à ce que tant d'éléments intimes et personnels me soient révélés non pas pendant cette discussion informelle dans un restaurant, mais dans le corps même de son travail universitaire. Dans le premier chapitre, elle mentionne son travail de comptable et de trésorière bénévole dans les foyers d'accueil pour femmes autochtones d'Ottawa, et ajoute :

Je suis de longue date préoccupée par les problèmes de pauvreté, de violence, de santé mentale et physique des femmes, avec une attention particulière pour les plus vulnérables : les femmes sans-abri, toxicomanes, qui souffrent de problèmes de santé mentale, qui fuient la violence, qui sont impliquées dans la prostitution de survie. [...] Comme les femmes dont je parle dans ma thèse, j'ai subi une violence physique et sexuelle considérable lorsque

142

j'étais jeune, et j'ai frôlé la mort à plusieurs reprises. À l'âge de 18 ans, j'ai quitté l'école secondaire et déménagé en Colombie-Britannique où j'ai eu plusieurs emplois, où je faisais de l'auto-stop quotidiennement puisque c'était le seul mode de transport possible à Whistler, où j'ai vécu dans ma voiture, où j'ai eu un enfant, à l'âge de 20 ans. Je n'ai pas été impliquée dans le travail du sexe, je n'ai pas été aux prises avec la toxicomanie, je n'ai pas souffert de problèmes de santé mentale, je n'ai jamais été placée dans une famille d'accueil. Heureusement, ma famille et mes amis m'ont aidée à quitter un compagnon violent. À 22 ans, mère célibataire d'un bébé de 18 mois, je suis rentrée à l'université.

Et la deuxième vie de Maryanne Pearce a commencé: études, mariage, deuxième enfant. «Ceci n'est pas une confession, poursuit-elle, mais comme j'ai reçu une formation d'anthropologue, je sais combien il est important de dire aux lecteurs d'où l'on vient. Les femmes qui ont été assassinées, qui ont disparu ou qui risquent de subir la violence ne sont pas simplement des sujets de recherche, ce sont mes Sœurs par l'esprit.» Elle fait ainsi référence au nom du programme de l'AFAC. Une note de bas de page, la note 4 de sa thèse, éclaire le tout. «Parce que nous étions une famille autochtone, les travailleurs sociaux préféraient placer chez nous les enfants autochtones quand c'était possible; avant l'âge de 5 ans, j'ai eu de ce fait 12 frères et sœurs[2].»

---

2. Maryanne Pearce, *An Akward Silence, op. cit.,* p. 3.

— Oui, je suis autochtone, du côté de ma mère, m'a confirmé Maryanne. De l'autre côté, je suis d'origine anglaise, irlandaise et écossaise.

Maryanne aux boucles blondes a en fait du sang mohawk ; elle n'est pas seulement cette fonctionnaire engagée et persévérante ; elle connaît par cœur cette accumulation de fragilités, ces chemins de vulnérabilité que je découvrais petit à petit. Je m'étais donc trompée : en se rendant à la battue, elle n'avait pas « sauté dans le décor » et quitté brutalement ses banques de données pour la vie réelle. Elle ne faisait que poursuivre une sorte de quête, une réparation. Très tôt sensibilisée aux fragilités du monde autochtone, puis elle-même victime de violences sexuelles, Maryanne vouait sa vie aux femmes battues, perdues, assassinées, disparues.

Et à la pizzeria, elle avait ajouté :

— Aussi, je m'occupe de chiens, de chiens perdus.

XIII

YORK FACTORY, BAIE D'HUDSON, 5 FÉVRIER 1717

Amber a grandi dans le nord de l'Alberta, au bord du lac Athabasca ; on dit que Thanadelthur venait des rives de ce même lac, mais il est plus probable qu'elle soit née dans le nord du Manitoba. Elles appartenaient toutes deux au peuple déné[1]. Et elles se sont éteintes vers 20 ans : l'une assassinée ; l'autre frappée par la maladie.

Là s'arrêtent leurs points communs. Les os d'Amber ont été retrouvés par hasard, deux ans après sa disparition, au sud d'Edmonton. Ceux de Thanadelthur, dûment honorés, pieusement enterrés, reposent au bord de la baie d'Hudson. Les époques aussi diffèrent. Amber est morte en 2010, tandis que Thanadelthur a péri en 1717. Entre ces deux dates, le vent de la conquête a métamorphosé l'Amérique du Nord et pulvérisé le statut des femmes autochtones.

---

1. Les Dénés vivent dans le nord-ouest du Canada.

En novembre 1714, Thanadelthur, âgée de 18 ou 19 ans, s'échappant du village cri qui l'avait capturée et réduite en esclavage, s'est réfugiée dans un poste de traite des fourrures de la Compagnie de la baie d'Hudson, à York Factory. La Compagnie voulait organiser la paix entre les peuples cri et chipewyan, pour faciliter le commerce. Thanadelthur était précieuse : elle connaissait les peuples et le territoire, elle parlait le chipewyan, sa langue, l'anglais et le cri. Elle a fini par diriger une expédition de paix de onze mois, marquée par la faim, la maladie et les conflits meurtriers entre les deux nations. Elle a fait face à toutes les embûches, dit-on, et galvanisait ses troupes. Thanadelthur est morte de maladie le 5 février 1717, alors qu'elle préparait une autre expédition, et son décès a bouleversé celui qui dirigeait le poste de traite, un certain James Knight : « Mon cœur est sur le point de se briser. Son esprit était très élevé, et sa détermination était la plus ferme que j'aie jamais vue[2]. » James Knight ajoutait que c'était une très grosse perte pour la Compagnie.

La célébration de Thanadelthur, une « facilitatrice de la colonisation », à l'instar d'une Pocahontas, d'une Sacagawea, héroïnes américaines, peut en irriter certains. Voilà des femmes qui ont sauvé des vies de colons, négocié des échanges commerciaux, permis l'exploitation de ressources qui étaient jusque-là aux mains de leurs peuples. Son histoire, pourtant, raconte en creux la puissance des femmes amérindiennes d'alors ; le

---

2. Kim Dramer, *The Chipewyan (Indians of North America)*, New York, Chelsea House Publishers, 1996.

respect dont elles bénéficiaient, tant dans leurs communautés qu'auprès du colonisateur. Bien plus que des fées du logis, elles ont joué un rôle phare dans le commerce des fourrures, découvert et détaillé tardivement par les historiens canadiens[3]. À partir du xvie siècle, les coureurs des bois français et anglais, qui achetaient des peaux de castor aux Amérindiens, devaient leur activité économique, et même leur survie en forêt, aux femmes des Premières Nations auxquelles ils s'unissaient. Elles chassaient («Ma femme m'a apporté 8 lièvres et 14 perdrix», pavoise un marchand anglais en 1815[4]); récoltaient le riz sauvage dans les marais; confectionnaient des filets, pêchaient et séchaient le poisson; fabriquaient le fameux pemmican, la viande de bison séchée à la graisse fondue; savaient nettoyer, conserver et coudre les peaux; construisaient les canots et naviguaient. «Elles fabriquent nos tentes et nos vêtements, nous tiennent chaud la nuit; et nul ne peut voyager sur des distances considérables, quelle que soit la durée du voyage, sans leur assistance», écrivait un coureur des bois en 1770[5]. Certaines étaient, comme Thanadelthur, interprètes et diplomates, au point que les postes de traite concurrents se battaient pour obtenir leur collaboration.

---

3. Sylvia van Kirk a révolutionné le point de vue sur le commerce de la fourrure en décrivant le rôle prédominant des femmes autochtones (*Many Tender Ties*, Winnipeg, Watson & Dwyer Pub., 1980).

4. John Demos, *The Tried and the True, Native American Women Confronting Colonization*, New York, Oxford University Press, 1995.

5. *Ibid.*

Amber Alyssa Tuccaro, née dans une communauté du lac Athabasca nommée Fort Chipewyan[6], au nord de l'Alberta, a disparu en août 2010, à 21 ans, 293 ans après la mort de Thanadelthur.

En 2012, un groupe de promeneurs à cheval a découvert son squelette dans un pré. Au moment de sa disparition, Amber aux joues rondes vivait avec son bébé à Fort McMurray, une ville de 80 000 habitants au sud de son village ; la Mecque du pétrole issu des sables bitumineux, le trésor de guerre du pays (c'est au fond son ultime point commun avec Thanadelthur : toutes les deux ont côtoyé les Blancs qui exploitaient les ressources naturelles du pays).

Alors que la jeune Amérindienne du XVIIIe siècle avait dirigé plus de 150 hommes dans des conditions extrêmes et forcé des guerriers peu amènes à se réconcilier, Amber a probablement péri sous les coups de la violence masculine. En 2012, la GRC a rendu public l'enregistrement d'une conversation téléphonique datant du soir même de sa disparition, le 18 août 2010. Si rien n'est dit de l'origine de cet enregistrement, on comprend qu'il

---

6. Avant d'être minée par les difficultés sociales et environnementales, Fort Chipewyan fut un exemple de société multiculturelle et égalitaire qui prospérait autour de la fourrure. Voir « A World We Have Lost : The Plural Society of Fort Chipewyan », dans Robin Jarvis Brownlie et Valerie J. Korinek, *Finding a Way to The Heart. Feminist Writings on Aboriginal Women's History in Canada*, Winnipeg, University of Manitoba Press, 2012.

provient d'une amie ou d'un ami qu'Amber appelle, affolée. Elle est alors dans la voiture d'un inconnu, qui l'a probablement prise en stop dans la région d'Edmonton, à six heures de route de Fort McMurray, où elle passait quelques jours pour des raisons médicales. On l'entend s'inquiéter du trajet auprès du conducteur. « Où est-ce qu'on va ? Tu ferais mieux de ne pas m'emmener là où je ne veux pas aller. Où vont ces routes de merde ? Je veux aller en ville ! » crie-t-elle, alors que la voiture s'engage sur un chemin de gravier qui ne semble pas mener au centre-ville d'Edmonton, où elle veut se rendre pour la soirée.

La GRC a installé deux panneaux dans la région, appelant le public à écouter l'extrait audio pour identifier le conducteur[7]. Mais l'enquête a été à ce point négligente, notamment dans les mois suivant la disparition, que la mère d'Amber a fini par porter plainte contre la police en mars 2014. On ne sait toujours pas, à l'hiver 2015, qui a tué la jeune femme.

*
* *

Certaines des femmes autochtones assassinées ou disparues portent les noms français de leurs ancêtres coureurs des bois, ceux qui non seulement ont épousé des femmes amérindiennes, mais aussi leur culture, qui ont enfanté des Métis ; ainsi le coureur des bois et sa compagne ont incarné, du XVIIe au XIXe siècle, cette petite société des bois et

---

7. La conversation est accessible sur www.kare.ca

des lacs, où les colons se sont coulés dans le mode de vie des colonisés.

Glenda Morrisseau (Manitoba, 1991), Pauline Brazeau (Alberta, 1976), Rose Decoteau (Alberta, 2005), Alicia Courtoreille-Brignall (Colombie-Britannique, 2007), Marie Goudreau (Alberta, 1976), Myrna Letandre (Manitoba, 2006), Amber Guiboche (Manitoba, 2010), Fonassa Bruyère (Manitoba, 2007).

Savaient-elles ce que disait leur nom de famille.

Savaient-elles l'égalité perdue.

Cependant, cette petite civilisation protocoloniale a rapidement présenté des signes inquiétants, ainsi décrits par la chercheuse Marie-France Labrecque : « Dès les premiers temps de l'arrivée des Européens, les hommes ont requis l'accès aux femmes autochtones pour satisfaire leurs besoins sexuels, les forçant ainsi à se prostituer[8]. » Citées par Maryanne Pearce, deux études de Statistique Canada rappellent les fait suivants : « Le phénomène des Indiens accroupis avec leur famille autour des postes de traite des fourrures, proposant les services de leurs épouses et filles pour quelques centimes afin d'acheter de l'alcool est un fait bien documenté. [...] En 1886, le trafic des femmes indiennes est devenu un scandale national qui a impliqué des employés du ministère des Affaires

---

8. Marie-France Labrecque, *De Ciudad Juárez à l'autoroute des larmes, ces femmes autochtones que l'on tue en toute impunité*, Montréal, Cahiers DIALOG, INRS, 2014.

indiennes[9].» Ainsi, quand les épouses de coureurs des bois faisaient figure de partenaires incontournables, d'autres jeunes femmes, déjà, étaient réduites à l'exploitation sexuelle.

Jusqu'à ce que la conquête vienne briser les structures sociales amérindiennes, les femmes étaient les pivots de leurs propres communautés. Je ne parle bien sûr pas d'un éden de l'égalité des sexes. Les rôles étaient très distincts, mais il y avait une reconnaissance des tâches de chacun, et tout un pan du pouvoir politique et social était attribué aux femmes – les nations iroquoises, par exemple, étaient clairement matriarcales. Chez certains peuples, la relative liberté de choix des femmes dans la vie amoureuse avait surpris les Européens. Au fur et à mesure que la conquête labourait les territoires et qu'une législation «indienne» s'élaborait, les femmes ont perdu leurs attributions (posséder la terre et la transmettre à leurs filles, diriger les cérémonies religieuses, orchestrer l'activité agricole et la vie du village, bâtir les habitations, conseiller le chef lors des conflits avec les autres nations). Elles ont aussi perdu la considération spécifique, d'ordre spirituel, dont elles bénéficiaient depuis des siècles dans leurs communautés, notamment parce qu'elles étaient perçues comme très proches de la nature, un élément central dans

9. Statistique Canada, «Un aperçu des statistiques sur les Autochtones», juin 2010; Michael Tjepkema et Russell Wilkins, «Espérance de vie restante à l'âge de 25 ans et probabilité de survie jusqu'à l'âge de 75 ans, selon la situation socioéconomique et l'ascendance autochtone», Statistique Canada, décembre 2011.

la culture amérindienne. Leur relative liberté amoureuse était désormais interprétée par les Blancs comme de la débauche. L'image de la *squaw* dépravée était née.

Elle est toujours d'actualité. Les images publicitaires représentant des femmes grimées ou costumées en Amérindiennes, lascives et sexuellement disponibles, abondent. «La représentation de la squaw est parmi les plus dégradantes, méprisantes et déshumanisées. La "squaw" est le pendant féminin du "sauvage"; elle n'a pas de visage humain, elle est lubrique, immorale, insensible et sale. Cette déshumanisation grotesque a rendu toutes les femmes et filles vulnérables à la violence physique, psychologique et sexuelle», écrit Emma LaRocque, chercheuse manitobaine[10].

*

* *

Le temps de trois hivers glaciaux au bord de la baie d'Hudson, Thanadelthur avait incarné une forme d'égalité entre pionniers et colonisés; entre hommes et femmes. Un lointain souvenir. La Loi sur les Indiens de 1876 (issue de l'Acte pour encourager la civilisation graduelle des Sauvages de 1857) avait contraint les «bandes» à mettre en place des gouvernements exclusivement masculins et à

---

10. Emma LaRocque, présentation écrite pour «Aboriginal Justice Inquiry Hearings», 1990, citée dans l'étude *Marginalisées: l'expérience des femmes autochtones au sein des services correctionnels fédéraux*, Sécurité publique Canada, www.securitepublique.gc.ca/cnt/rsrcs/pblctns/mrgnlzd/index-fra.aspx

déconstruire cette savante répartition des rôles qui donnait de l'importance à chacune et chacun. Au passage, elle faisait perdre aux femmes mariées à des Blancs ou à des Indiens «non inscrits» leur statut d'Indienne[11], c'est-à-dire le droit d'habiter dans leur communauté, l'accès aux services réservés aux communautés autochtones, leur identité culturelle. L'homme autochtone marié à une non-Indienne, lui, ne perdait rien. Cette incroyable iniquité a duré jusqu'en 1985, et a déraciné, selon Amnesty International, «des dizaines de milliers de femmes autochtones, altérant leurs liens avec leurs familles et augmentant leur dépendance vis-à-vis de leurs époux[12]». «Ottawa décidait que les femmes devaient choisir entre leur identité et leur amour», comme me l'a expliqué Aurélie Arnaud, de Femmes autochtones du Québec (FAQ). «Aujourd'hui encore, au fil des unions entre inscrits et non-inscrits, les enfants et petits-enfants de ces couples mixtes finissent par perdre le statut d'Indien. C'est une manière pour le gouvernement de chercher à réduire le nombre d'Autochtones

---

11. On peut être surpris de l'attachement des Autochtones à leur statut d'Indien qui peut évoquer la ségrégation ou l'apartheid. Mais les Autochtones du Canada ne veulent pas être Canadiens, ni Québécois, Ontariens ou Manitobains. Ils se considèrent comme appartenant à des nations indépendantes et souhaitent négocier avec les gouvernements fédéral et provinciaux «de nation à nation». Ils refusent d'être assimilés ou intégrés à cette société canadienne qui les a colonisés.

12. Amnesty International, *Canada: on a volé la vie de nos sœurs. Discrimination et violence contre les femmes autochtones,* 2004

inscrits qui vivent dans les réserves; et un jour, de récupérer des terres», analyse-t-elle[13].

En un siècle, les femmes ont été réduites au rang de sous-citoyennes dans leurs propres communautés. Le patriarcat européen a pris racine chez les peuples autochtones.

Quand j'ai rencontré Craig Benjamin dans les bureaux d'Amnesty International à Ottawa, il a eu cette phrase:

— Quand les meurtriers de femmes autochtones sont des Autochtones, cela ne signifie pas qu'il n'y a pas de racisme dans leur acte. Les hommes autochtones ont grandi eux aussi dans une culture qui perpétue l'image négative des femmes autochtones. C'est un facteur clé.

Je n'ai saisi la portée de ces propos qu'au fil des mois, alors que je m'enfonçais dans mes noires découvertes, comme une archéologue effarée, comme une correspondante de guerre.

13. Lire à ce sujet les pages 193 à 196 de Thomas King, *L'Indien malcommode, un portrait inattendu des Autochtones d'Amérique du Nord*, Montréal, Éditions du Boréal, 2014.

XIV

HÔTEL SHERATON, LAVAL, 9 NOVEMBRE 2013

Dans une petite salle du grand hôtel rouge posé le long de l'autoroute 15, en banlieue Nord de Montréal, étaient réunies une vingtaine de femmes autochtones. Parmi elles, trois portaient des gilets bleus sans manches : les « intervenantes santé ». « Si quelque chose vous bouleverse, et que vous avez besoin de soutien, elles sont là », a précisé l'une des deux animatrices[1]. L'atelier, consacré aux violences sexuelles, était offert dans le cadre de l'assemblée générale annuelle de FAQ. Dans l'assistance, des travailleuses sociales, des cheffes de conseils de bande, des militantes, surtout francophones mais aussi anglophones, issues de communautés innues[2], algonquines et inuites. Cette fois, elles ne parlaient pas seulement de celles et ceux dont elles

---

1. Josyane Loisell-Bourdeau, coordinatrice santé de Femmes autochtones du Québec (FAQ), et Wanda Gabriel, intervenante sociale dans la communauté mohawk de Kanesatake.

2. On compte 11 nations innues au Québec, situées sur la Côte-Nord et au Saguenay-Lac-Saint-Jean.

s'occupent, mais aussi d'elles-mêmes. Quelle est ta plus grande crainte ? ont demandé à chacune les deux animatrices.

— J'ai affaire à des violences sexuelles dans ma communauté, et ma peur c'est que ça arrive chez moi, dans ma famille…

— J'ai peur pour mon petit garçon.

— J'ai vécu une agression sexuelle et un viol collectif quand j'étais jeune au pensionnat, et j'ai peur de ne plus être jamais capable d'aimer. Et j'ai peur pour mes petites-filles.

— J'ai une nièce qui grandit dans un milieu où il y a beaucoup d'alcool… J'ai peur pour elle.

— On ne dit pas, on ne sensibilise pas, c'est un sujet très tabou ; dans ma communauté, des jeunes viennent me voir et me parlent d'inceste et de suicide…

— Dans ma communauté, tout n'est pas correct, mais on n'en parle pas.

— Si on ne brise pas le tabou des agressions sexuelles, nous allons continuer d'être colonisés !

Et alors que les animatrices énuméraient les drames récurrents (ces jeunes filles enceintes qui ne savent pas qu'elles ont été violées tellement elles étaient ivres quand ça s'est passé, et qui se sentent coupables et non victimes ; ces femmes qui ne dénoncent pas un conjoint agresseur par loyauté envers leur belle-famille, ou par crainte de devoir quitter la réserve sans aucun point de chute, sans place en foyer d'accueil, ou par angoisse de se voir enlever leurs enfants), alors que les participantes faisaient part d'expériences traumatisantes, les rires et plaisanteries fusaient. Blagues crues, humour noir. Ces femmes qui, par leur métier, sont au cœur d'une violence sexuelle qui détruit nombre de communautés autochtones, s'esclaffaient joyeusement.

Happée par les récits, submergée par leur résistance, je n'ai presque pas pris de notes.

Aucune d'entre elles n'a fait appel aux intervenantes en gilet bleu.

Dans son livre *Kuessipan,* la jeune auteure innue Naomi Fontaine raconte le viol et les relations sexuelles altérées par l'alcool : « La nuit, c'est l'heure à laquelle on se déshabille. Le haut et le bas du corps se laissent dénuder. La rougeur des joues. La tiédeur des larmes. Les rêves que l'on donne en gardant les lèvres fermées. Ne pas avoir peur. Le sable sur lequel on se couche. La saleté. Les autres qui sont passés. L'ivresse, les yeux rougis. Les oublis. On ne voit dans la nuit que ce que les mains peuvent toucher[3]. » Dans une étude consacrée à l'abus sexuel dans les réserves autochtones du Québec, la majorité des personnes interrogées estiment que 50 à 70 % des membres de leur communauté, principalement des femmes, en ont été victimes[4]. J'ai découvert, effarée, ce qui m'est apparu comme le comble de l'autodestruction : parfois, de jeunes adolescentes sont prostituées par leur propre famille – sous leur propre toit.

---

3. Naomi Fontaine, *Kuessipan,* Montréal, Mémoire d'encrier, 2011.

4. Groupe de recherches et d'interventions psychosociales en milieu autochtone, *Étude sur l'abus sexuel chez les Premières Nations du Québec,* mars 2005.

*
*　*

Le même jour, au même endroit, un autre atelier au titre troublant : *Traite des femmes autochtones*.

Au Canada.

Je savais que cela faisait partie des hypothèses sur la disparition de Shannon et Maisy, dont la beauté saisissante revient dans chaque entrevue, chaque conversation. Mais j'en doutais. Je voulais croire à un excès de langage.

Coanimatrice de l'atelier, la douce et rousse Widia Larivière, pas encore 30 ans, moitié algonquine, moitié québécoise, est chargée de la jeunesse à FAQ, mais également militante connue du mouvement Idle No More. Elle a expliqué que les femmes autochtones étaient surreprésentées parmi les victimes de la traite sexuelle au Canada ; que 90 % des prostituées juvéniles – et, donc, exploitées – sont autochtones. Widia énumérait les lieux de recrutement : bars, aéroports, gares d'autobus, grands chantiers dans les régions du nord du Québec. Elle répétait : « Je n'arrive pas à y croire, j'ai lu des choses, y compris dans nos communautés… je n'arrive pas à y croire. » Cette militante désormais aguerrie semblait en état de sidération, mais de sidération active. Elle lançait alors une campagne bilingue de prévention qu'elle avait intitulée « Je suis fière d'être une femme autochtone, et je ne suis pas à vendre. »

Après l'assemblée, je me suis plongée dans trois recherches aux titres asphyxiants. *Vies sacrées : les enfants et les jeunes autochtones s'expriment sur l'exploitation sexuelle*[5]; *Trafic sexuel domestique des filles autochtones au Canada: enjeux et conséquences*[6]; *Le trafic des femmes et filles autochtones au Canada*[7]. Les chercheuses décrivent une traite qui a peu à voir avec celle des filles d'Europe de l'Est ou d'Asie. Pas de vol de passeport ni de séquestration, peu de déplacements d'une ville à l'autre. Et parce que cette traite ressemble, vue de loin, à de la prostitution « ordinaire » de rue, et que les femmes autochtones sont associées depuis si longtemps, dans la conscience canadienne, à la prostitution, les pouvoirs publics et les journalistes ne l'ont pas perçue comme coercitive, expliquent les chercheuses.

La coercition est pourtant bien réelle: elle vient notamment de ce que les *pimps* commencent souvent par rendre les jeunes filles dépendantes au crack ou au crystal meth, la cocaïne du pauvre, avant de les contraindre à descendre sur les trottoirs pour y récolter de quoi payer leurs doses, souvent fournies par le *pimp* lui-même. Si les chercheuses ont concentré leur travail sur les grandes villes des Prairies – Winnipeg, Edmonton, Regina –

5. Cherry Kingsley et Melanie Mark, *Sacred Lives: Canadian Aboriginal Children & Youth Speak Out About Sexual Exploitation*, National Aboriginal Consultation Project, 2000.

6. Anupriya Sethi, « Domestic Sex Trafficking of Aboriginal Girls in Canada: Issues and Implications », *First Peoples Child & Family Review*, First Nations Caring Society of Canada, 2007.

7. Anette Sikka, *Trafficking of Aboriginal Women and Girls in Canada*, Université d'Ottawa, Institut sur la gouvernance, 2009.

où la prostitution adolescente autochtone orchestrée par les gangs de rue est visible, elles évoquent aussi l'aéroport de Montréal comme un lieu privilégié de recrutement, où les jeunes Inuites atterrissent pour fuir la misère ou la violence de leur village dans le Grand Nord québécois. « Les trafiquants connaissent souvent quelqu'un de la communauté qui les informe des projets des filles qui veulent déménager en ville, dit un travailleur social rencontré par la chercheuse Anupriya Sethi. À leur arrivée à l'aéroport, les filles sont attendues par un trafiquant qui propose de les aider à trouver un lieu de séjour. [...] Elles sont jeunes et vulnérables dans une grande ville inconnue ; et comme elles viennent d'une culture où l'on accueille les étrangers, elles ne se méfient pas[8]. »

Mais le lien avec la communauté d'origine semble souvent bien plus solide qu'un simple coup de fil passé entre la réserve et Montréal. Quand les gangs de rue sont autochtones, ils vont et viennent entre la réserve et la grande ville ; « des jeunes filles suivent le mouvement, sont encouragées à venir en ville pour faire la fête, et se retrouvent à être exploitées sexuellement », observe Annette Sikka. Pire : « À Edmonton [...] les gangs menacent les jeunes filles de révéler leur activité de prostituées à leur famille si elles ne continuent pas à travailler et à fournir de l'argent au gang. Souvent, les gangs qui ont trompé ces jeunes filles ont des liens avec la

---

8. Anupriya Sethi, « Domestic Sex Trafficking of Aboriginal Girls in Canada », *loc. cit.,* note 6.

communauté d'origine : la menace est donc réelle », poursuit-elle[9].

On peut et l'on doit distinguer cette prostitution sous la contrainte, cette exploitation sexuelle, du « travail du sexe » revendiqué par d'autres femmes autochtones, choisi et maîtrisé.

*

* *

Sur le chemin chaotique qu'empruntent les jeunes filles autochtones les plus vulnérables, elles croisent ce qui ressemble pourtant à un refuge : le foyer de groupe (au Canada anglais *group home*) ; ou le centre jeunesse. « Avoir vécu dans le système de la protection de la jeunesse est peut-être la caractéristique la plus commune parmi les filles entrées dans la prostitution », écrit Annette Sikka. Se dessine une véritable spirale, un enchaînement diabolique, qui emporte aussi, dans une moindre mesure, les garçons : avoir été abusé sexuellement dans la famille ou la communauté conduit certes au placement en foyer, mais la prise en charge est médiocre pour ces enfants-là ; ils deviennent alors des fugueurs chroniques, et les trafiquants ou proxénètes sont à l'affût. Sans compter qu'au sein même de la structure d'accueil, certaines jeunes filles sont chargées par leurs soi-disant « petits amis », ces prédateurs qui rôdent autour des foyers, de recruter elles-mêmes de futures prostituées

---

9. Annette Sikka, « Trafficking of Aboriginal Women and Girls in Canada, Ottawa », Institut sur la gouvernance, 2009.

parmi leurs camarades[10]. J'ignore si Tina Fontaine, 15 ans, retrouvée morte dans la rivière Rouge, à Winnipeg, le 17 août 2014, a été victime d'abus sexuels dans son enfance. Mais sa mère ne l'élevait plus depuis ses 5 ans, et son père avait été assassiné trois ans auparavant; elle séjournait dans un foyer de Winnipeg depuis un mois lorsqu'elle a disparu, et a été sexuellement exploitée dans les semaines précédant son assassinat. Ainsi le destin de Tina contredit-il de manière implacable les propos du premier ministre Stephen Harper qui veut faire croire qu'il n'y a là aucun phénomène sociologique.

Cette spirale qui mène du délaissement ou de la violence familiale à l'exploitation sexuelle dans la rue est confirmée par les jeunes eux-mêmes, dans le bouleversant *Sacred Lives,* un rapport issu de conversations avec 150 jeunes Autochtones dans 22 villes et villages du Canada.

> Mes agresseurs ont été maltraités; leurs propres agresseurs ont été maltraités, etc. Nous sommes tous blessés d'une manière ou d'une autre, et je pense que c'est pour cette raison que le cycle se poursuit. (Jeune fille, Vancouver.)

> J'ai grandi dans une famille violente. Ma mère m'a abandonnée quand j'avais 13 ans et j'ai commencé à me piquer. J'étais constamment déplacée de famille d'accueil en famille d'accueil, et je n'avais personne à qui parler. [...] L'argent [des passes] restait entre mes mains pendant peut-être quinze minutes. Dès que j'en avais, je le donnais aux revendeurs de drogue. (Jeune fille, Saskatoon.)

---

10. *Ibid.*

Mon beau-père a été maltraité quand il était petit, et il ne savait pas comment être père. Alors il a fait de son mieux, c'est-à-dire qu'il a reproduit ce que son père lui a fait. Je pense que de telles situations pourraient être évitées… des situations comme la mienne… si le cycle de la violence était brisé. (Jeune fille, Halifax.)[11]

Et c'est ainsi que les deux ateliers, parmi tant d'autres, donnés ce samedi de novembre dans le grand hôtel rouge au bord de l'autoroute auraient pu ne faire qu'un. Ce sont les deux pièces du même puzzle ; deux stations successives sur un même chemin de croix.

---

11. Cherry Kingsley et Melanie Mark, *Sacred Lives*, *op. cit.*, note 4.

XV

RIVIÈRE DÉSERT, MANIWAKI, 25 JANVIER 2014

À Maniwaki, la *Pakwaun* battait son plein. Une fête de l'hiver au nom algonquin, avec match de hockey sur la glace de la rivière Désert, exposition de vieilles motoneiges, trampoline et structures gonflables pour les enfants, « compétition d'hommes forts » et souper de saucisses. La neige tombait en rangs serrés ; de jeunes couples aux joues rouges circulaient sur des minivéhicules tout-terrain ; au milieu de la foule blanche, on distinguait quelques familles de Kitigan Zibi venues avec petits et poussettes. Je me suis approchée du stand de hot-dogs où s'affairait une dizaine d'hommes, des Blancs, quadras et quinquagénaires, et je leur ai parlé de Maisy et Shannon. Tous se souvenaient ; certains avaient participé à des levées de fonds pour venir en aide aux familles. On m'a confirmé plus tard l'empathie réelle manifestée par les gens de Maniwaki lors de la disparition des filles. Quant aux relations entre la ville et la réserve, elles étaient bonnes, oui, pourquoi ? répondait celui qui faisait griller les saucisses. Il habitait à la frontière de la réserve et avait un Amérindien comme voisin, avec lequel il s'entendait très bien.

Cette description idyllique a fait sourire Gilbert Whiteduck, le chef du conseil de bande de Kitigan Zibi ; lui préférait parler du « mur invisible » qui sépare Maniwaki de la réserve. Parce que les Algonquins ont été colonisés en anglais, et sont pour la plupart unilingues, ils ne sont pas considérés comme employables dans les commerces et les services de la petite ville majoritairement francophone. « Et pourtant, nous dépensons presque tout notre argent à Maniwaki, c'est là que nous allons au restaurant ou achetons nos voitures », faisait observer Gilbert. En effet, 20 % de la clientèle du magasin J.O. Hubert, rue principale – vêtements, chaussures, jouets, vélo, vaisselle et quincaillerie – est autochtone, m'a expliqué le patron, Paul Hubert.

Avant que la réserve ne se dote d'un magasin général, les Autochtones fréquentaient des commerces comme l'épicerie Poirier, et des bars comme la taverne de l'Hôtel central, où les Blancs n'allaient pas, dans une atmosphère « digne de l'apartheid », se souvient un habitant qui a grandi à Maniwaki dans les années 1960. Georges Lafontaine, un ancien journaliste qui travaille aujourd'hui au Conseil tribal de la nation algonquine[1], se souvient de la discothèque du Maniwaki Inn dans les années 1970 et 1980, où une zone, près des toilettes, était destinée implicitement aux

---

1. Le Conseil tribal de la nation algonquine anishinabé, implanté à Kitigan Zibi, regroupe six communautés algonquines du Québec.

« Indiens », un coin que les habitués nommaient
« la Swamp », le marécage. Si cette époque est révo-
lue, l'hostilité demeure. Ou l'ignorance. « En fait,
plus que d'hostilité, parlons de solitude, analyse
Georges Lafontaine. De deux solitudes. Je connais
des Algonquins et des Blancs qui se croisent depuis
cinquante ans dans les rues de Maniwaki mais qui
ne se sont jamais dit bonjour. Le fossé s'est même
creusé. Il fut un temps où la *Pakwaun* était un
moment de rencontre entre les deux communautés.
Il y avait un grand repas algonquin, un concours
de beauté auquel participaient des jeunes filles de
la réserve, poursuit-il. La culture algonquine était
présente pendant le festival. Mais les gens de la
réserve avaient l'impression d'être des attractions,
et ont progressivement cessé de participer. » Du
côté du personnel enseignant de Maniwaki, on
m'a soufflé que l'arrivée de Gilbert à la tête de la
réserve avait contribué à envenimer les relations
entre Kitigan Zibi et Maniwaki. On m'a fait comprendre que ses positions radicales, notamment
sur la question des revendications territoriales et
des droits ancestraux, le poussaient à refuser des
collaborations intéressantes en matière d'éducation. On m'a parlé d'un passé qui ne voulait pas
cicatriser.

*

* *

Quand les colons sont venus s'installer là,
au confluent de la rivière Désert et de la rivière
Gatineau, au xixe siècle, c'était pour commercer

avec les Algonquins qui chassaient le castor ; pour profiter de leur savoir-faire. La petite ville, partagée par la Compagnie de la baie d'Hudson, les marchands de fourrures et les compagnies forestières, a poussé comme un champignon et viré *western,* bagarres et boissons, sous l'œil effaré des pères oblats ; ils ont fini par obtenir qu'elle devienne une municipalité, avec des règlements et des hommes qui dictent la loi. Ces mêmes Oblats, au rôle ambigu d'évangélisateurs et de protecteurs, ont obtenu en 1853 la création d'une réserve pour « la bande de la rivière Désert », soit le peuple algonquin qui vivait là[2].

Qu'est-ce qu'une réserve. Une prison, ou bien un refuge. Un endroit où l'on se terre, ou bien celui où l'on cultive son identité, où l'on préserve sa fierté. Un endroit où le chômage bat des records, mais un endroit où, comme à Kitigan Zibi, on peut trouver un emploi saisonnier. Un endroit où cohabitent des familles qui conjuguent réussite sociale et appartenance communautaire, et d'autres abonnées au bien-être social, au *welfare.* Un endroit d'où l'on peine à partir, parce que l'intégration sociale ailleurs est difficile.

Qu'est-ce qu'une réserve.

---

2. Dans *Since Time Immemorial: Our Story,* le livre de Stephen McGregor sur l'histoire de Kitigan Zibi, l'auteur explique que « Kitigan Zibi » n'est pas une traduction de « rivière Désert », mais de *River of Gardens,* rivière des Jardins. Les deux dénominations semblent contradictoires, mais le nom de « rivière Désert » vient de ce qu'il y avait peu d'arbres dans la plaine qui entourait la rivière, sur le futur site de la réserve.

— Luc-Antoine Pakinawatik, le chef de la communauté au milieu du XIXe siècle, avait compris les effets du développement, de la colonisation, et il s'est dit que nous avions vraiment besoin d'un territoire à nous, m'a expliqué Gilbert. Beaucoup de familles ne voulaient pas entendre parler de la réserve, et puis on s'est mis à les incarcérer parce qu'elles chassaient et mettaient leurs pièges là où elles n'en avaient plus le droit... En plus, le gibier n'était plus abondant, tant il y avait d'abattage d'arbres pour la foresterie. Tout le meilleur se faisait couper. Alors, tranquillement, les Algonquins de la région sont venus s'installer ici, pour se protéger. Pour nous, la réserve, c'était un lieu où l'on pouvait continuer à chasser et à pêcher. Pour le gouvernement, c'était un moyen de mieux nous contrôler.

*

*   *

Gilbert était mon deuxième interlocuteur francophone, avec Lisa Odjick (Little Grandma), dans cette communauté anglophone. Lisa avait appris le français en jouant avec ses petites voisines québécoises ; Gilbert, lui, devait sa maîtrise de la langue à l'équipe de hockey de Maniwaki.

— J'étais le seul Autochtone de l'équipe. On me traitait de sauvage ! Mes parents n'avaient pas les moyens de m'acheter un équipement ; on était très pauvres, c'était la norme dans la réserve. Mes gants étaient faits de bambou et de foin et se décomposaient tout le temps ; ça faisait rire les arbitres… À l'école secondaire de Maniwaki, on me disait : « Ta meilleure chance, c'est de faire le métier de ton père. » Il était dans la foresterie. Il y avait tellement peu de travail pour nous dans la région, même à Ottawa, que les gens de la réserve allaient travailler aux États-Unis ; mon père aussi, il y construisait des pipelines, des chemins de fer… Moi, à ce moment-là, je me suis dit que rien ne m'arrêterait.

Gilbert ne me parlait pas d'une époque reculée, mais du Canada colonial des années 1960, qu'il avait connu enfant. C'est la colère qui l'a poussé à devenir ce qu'il est devenu : enseignant, puis directeur de l'éducation à Kitigan Zibi, puis chef élu et réélu.

— Je me souviens qu'on allait chez l'agent des Indiens, avec mes parents, pour obtenir tel ou tel droit.

L'agent des Indiens était chargé de surveiller les réserves pour le gouvernement, et rassemblait les fonctions de magistrat, de coroner, de policier. Entre autres.

— Il avait installé son bureau en hauteur, sur une estrade, et les Algonquins qui entraient devaient lui parler comme ça, d'en bas (Gilbert a mimé la situation, regardant vers le plafond). On avait vraiment peur de lui, il avait tellement de pouvoirs, de contacts avec les gens d'affaires, avec la Gendarmerie royale… Personne n'osait se confronter à lui. Nous avons eu un agent des Indiens jusqu'en 1970, quand même.

Quand la SQ a pris le relais de la GRC dans la région, les rapports ne se sont pas améliorés pour autant ; Gilbert a évoqué des destructions lors de cérémonies traditionnelles, des membres de la réserve frappés sur la tête avec un bâton ; la défiance est encore là, palpable.

— Quand j'étais jeune, la Sûreté, pour nous, c'était des diables vivants. Encore aujourd'hui, nous avons du mal à leur faire comprendre la réalité de la réserve, même si ça s'est amélioré.

Voilà qui explique aussi les relations conflictuelles de Laurie ou Bryan avec la police provinciale. La sq a été une force coloniale et répressive ; et comment se défaire de cette image, et de ce qu'il en reste probablement dans la pratique ; combien d'années encore. « Quand la Sûreté arrive dans la réserve, les gens ont l'impression de s'être déjà fait frapper », a résumé Gilbert.

*
*   *

Au moins, la proximité de Kitigan Zibi empêche les résidents de Maniwaki d'oublier les premiers habitants du pays ; et ce n'est le cas que de quelques régions au Québec, comme la Côte-Nord, le Saguenay-Lac-Saint-Jean, ou l'Abitibi-Témiscamingue. Au Québec, les Autochtones déclarés ne constituent que 1 % de la population et vivent majoritairement dans des communautés isolées ou éloignées des milieux urbains, à l'exception de Kahnawake, au sud et à deux pas de Montréal ; et il y a moins de prostitution ou d'itinérance autochtones à Montréal ou Québec que dans les grandes villes de l'Ouest. Au fil des mois, j'ai découvert l'indifférence des Québécois envers les Autochtones (alors même que plus de la moitié des descendants de Canadiens français aurait au moins un ancêtre amérindien[3]), qui oscillent entre de la lassitude face aux revendications territoriales et une exaspération liée aux difficultés sociales persistantes dans les communautés. La cause est impopulaire, m'a-t-on poliment fait savoir ; au mieux, elle fait bâiller.

Alors, les femmes autochtones assassinées ou disparues… C'est dans l'Ouest, tous ces assassinats, du côté de Vancouver ou de l'autoroute des larmes, pas de ce côté-ci du pays, m'a-t-on souvent répliqué. Alors tant pis pour Maryse Fréchette (disparue enceinte de Joliette en 2007, à l'âge de 17 ans), Sandra Gaudet (violée, torturée, étranglée à Val-d'Or en 1990, à l'âge de 14 ans), Minnie Kenojuak (assassinée en 1996), Bea Kwaronihawi Barnes (disparue près de Kahnawake en 2010, à l'âge de 17 ans), Evie Luuku (assassinée en 1998 à l'âge de 39 ans), Kelly Morrisseau (assassinée, enceinte, dans un stationnement de Gatineau, en 2006, à l'âge de 27 ans), Tiffany Morrison (assassinée en 2006, près de Kahnawake, à l'âge de 24 ans), Ruby Ann Poucachiche (assassinée dans la région de Rouyn-Noranda, en 1999, à l'âge de 34 ans), Leah Qavavauq (assassinée à Montréal en 2005), Francesca Saint-Pierre (battue à mort à Montréal en 2007, à l'âge de 14 ans), Jane Louise Sutherland (assassinée à Gatineau, en 1984, à l'âge de 20 ans),

---

3. « L'apport des données génétiques à la mesure généalogique des origines amérindiennes des Canadiens français », *Cahiers québécois de démographie*, vol. 41, printemps 2012.

Linda Condo (assassinée en Gaspésie en 1988), Linda Angotigirk (assassinée en 2013, à l'âge de 41 ans), Marlène Barbeau (assassinée à Limoilou en 2007, à l'âge de 47 ans), et toutes les autres[4] ; tant pis pour Shannon Alexander et Maisy Odjick. En mai 2014, la GRC évaluait à 46 le nombre de femmes autochtones assassinées au Québec entre 1980 et 2012, soit 3 % des femmes assassinées dans la province[5] alors qu'elles ne représentent que 1 % des femmes y vivant. Trois fois plus susceptibles d'être victime de meurtre, donc.

*
* *

Pour ces mêmes raisons démographiques – une proportion d'Autochtones moindre au Québec que dans les provinces de l'Ouest –, la province se sent peu concernée par les pensionnats indiens ; il n'y en a eu que 6[6] (sur environ 130 dans tout le pays) et ils n'ont « hébergé » « que » 13 000 enfants, de 1948 à 1979 (sur 150 000 au Canada). Mais lors du passage de la Commission de vérité et réconciliation à Montréal, en avril 2013, la commissaire

---

4. Cette liste – incomplète – provient de la thèse de Maryanne Pearce. Les lieux et précisions sont issus d'une recherche personnelle.

5. Gendarmerie royale du Canada, *Les femmes autochtones disparues et assassinées : un aperçu opérationnel national, op. cit.*

6. Soit les pensionnats de Sept-Îles, Pointe-Bleue, La Tuque, Amos, et les deux pensionnats de Fort-George. *Répertoire des pensionnats au Canada,* Aboriginal Healing Foundation, Ottawa, 2007.

Marie Wilson a rappelé aux médias québécois que «les congrégations religieuses les plus actives dans la gestion des pensionnats étaient basées au Québec». Comme les Oblats, par exemple. C'est notamment par les pensionnats, lieux d'agression, de destruction familiale, d'aliénation identitaire, que la violence a pris racine dans les communautés autochtones. Le «syndrome des pensionnats» – cette difficulté à s'aimer, à aimer, à prendre soin des autres – se transmet de génération en génération, tel un poison sans antidote, et on peut le tracer, le repérer dans les histoires de femmes assassinées par leurs proches, de jeunes fugueuses à répétition, d'hommes alcooliques au comportement violent.

J'ai assisté à de suffocantes «séances de partage» de la Commission de vérité et réconciliation sur les pensionnats, avec l'impression d'écouter les survivants d'un camp d'internement. La salle était comble; l'assistance, majoritairement autochtone, en larmes, et moi aussi. Des mouchoirs en papier étaient distribués méthodiquement par des dames qui passaient ensuite avec des paniers pour les récupérer, trempés. Un homme de Kitigan Zibi est venu raconter ses années de pensionnat, entamées à l'âge de 4 ans: les quatre viols dont il se souvenait, les coups à la tête que lui assénaient les religieuses, notamment parce qu'il n'assimilait pas assez vite le français. Et sa vie de désespoir, d'alcool, d'incapacité à élever ses enfants, ses multiples tentatives de suicide. D'autres racontaient les tenailles de la faim et de la soif, les violences sexuelles parfois quotidiennes commises par des responsables du pensionnat, les petits voisins de dortoir qui se suicidaient; certains des témoins n'avaient pas vu leurs parents plusieurs années de suite. Toutes et tous décrivaient les mêmes conséquences dévastatrices sur leur vie et celle de leurs enfants. Le syndrome des pensionnats est une cause immédiate, mais pas unique, du phénomène des femmes assassinées ou disparues; il a vulnérabilisé des communautés entières. La Commission a révélé qu'au moins 4 134 enfants sont morts dans les pensionnats – de maladies non soignées, de maltraitance, de suicides, d'accidents lors des fugues, et même de faim. Ce n'est, dit-on, qu'un chiffre provisoire.

Gilbert évaluait à une centaine le nombre de membres vivants de Kitigan Zibi qui sont passés par les pensionnats: celui de Pointe-Bleue, au Québec, et le Spanish Indian Residential School, en Ontario. «Le prêtre, l'agent des Indiens ou les policiers venaient parler du pensionnat aux familles les plus pauvres, leur disant que leurs enfants seraient bien nourris, auraient des habits chauds. Habits qu'on leur enlevait, parfois, dès l'arrivée au pensionnat…» Et dans sa foncière honnêteté intellectuelle, se souvenant d'une collaboratrice qui était arrivée adolescente au pensionnat et y avait croisé des éducateurs de qualité, il a ajouté: «Certains ne l'ont pas si mal vécu.» Les 150 ans de politique des pensionnats (1830-1990), mal enseignés, peu connus de la population canadienne, peuvent resurgir là où on ne les attend pas. Comme dans la bouche d'une enseignante de maths à l'école secondaire anglophone de Maniwaki, en mai 2014. À des élèves remuants issus de la communauté algonquine de Lac-Barrière[7], celle-ci a lancé qu'ils devraient « retourner dans les pensionnats pour apprendre la discipline et les bonnes manières » ; puis s'en est excusée.

*

*   *

Secoué par la disparition de Maisy et Shannon, le chef Whiteduck continue de militer en faveur des familles de femmes autochtones assassinées ou disparues. Il a même proposé à l'Assemblée des Premières Nations du Québec et du Labrador, le gouvernement autochtone de l'Est canadien, de mettre en place une équipe spécialisée pour venir en aide aux communautés dont certains membres ont disparu. L'idée n'a pas été retenue, mais Gilbert lui-même est allé à Manawan, une réserve attikamek du Québec, pour donner un coup de main lors d'une disparition. Le 12 mai 2014, quand des manifestantes ont interrompu une opération de relations publiques du ministre fédéral de la Justice sur les marches du parlement pour lui demander une enquête nationale sur les femmes assassinées ou disparues, brandissant l'urne contenant les cendres d'une jeune femme, Gilbert était là, parmi elles, intervenant à sa manière posée et déterminée.

---

7. Cette communauté pauvre et isolée est située à 175 kilomètres au nord-ouest de Maniwaki, dans le parc de la Vérendrye. Certains jeunes de Lac-Barrière sont internes à Maniwaki.

Dans son bureau de Kitigan Zibi, à propos des violences intrafamiliales, il a ajouté :

— Quand j'étais jeune, la violence envers les femmes était davantage tolérée. Aujourd'hui, je vois des aînés qui jugent sévèrement les hommes violents, mais il ne faudrait pas qu'ils se prennent pour des saints ; moi, je me souviens très bien de ce que certains faisaient ! Il faut se regarder dans le miroir avant de blâmer les autres.

Il pense qu'un jour, quelqu'un parlera. Quelqu'un dira ce qu'il sait sur la disparition de Shannon et Maisy. « Un jour ; le plus tôt possible. »

*
* *

Avant la colonisation, les peuples algonquins de la région se rassemblaient, chaque été, au bord de la rivière Désert – non loin du lieu où se déroulent les matchs de hockey de la *Pakwaun*. Au-dessus des joueurs de hockey et de la rivière glacée, une passerelle verte mène à l'école secondaire de Maniwaki.

Le 5 septembre 2008, en début de soirée, Maisy et Shannon se sont rendues à la soirée dansante de l'école secondaire.

XVI

RUE PITOBIG, KITIGAN ZIBI
5 SEPTEMBRE 2008

J'avais pris l'habitude de venir par le nord, par la route des Laurentides ; je ne me décidais pas à changer d'itinéraire ; c'était cette route qui me plongeait, cinq heures durant, dans une sorte de latence, de vide, dont j'avais besoin pour écouter et pour comprendre. J'ai longtemps ignoré qu'en passant par le sud, au large d'Ottawa, j'aurais été accueillie à chaque fois par un immense panneau-avis de recherche représentant les deux filles, érigé grâce à une collecte de fonds. On entre ainsi dans la réserve, sous les yeux de Shannon – version cadette, avec béret – et Maisy – souriante, aux cheveux attachés – ; on passe à gauche de leurs visages délavés par les intempéries. Je ne sais pas si ce livre aurait été différent ; aurais-je été hantée, plus encore.

J'ai imaginé les parents, les grands-parents revenant d'Ottawa après une journée de courses ou de visite chez des amis, les mains sur le volant, roulant puis dépassant le grand panneau. Sont-ils chaque fois bouleversés. Tentent-ils de s'abstraire quelques minutes du paysage et de la réalité. Murmurent-ils des prières.

Font-ils de ce moment un rendez-vous muet avec leur disparue.

> Hé, mon amie! On est tous inquiets pour toi… Dis-nous juste si tout va bien! (P, 10 septembre) • Envoie-nous un message pour nous dire que tu vas bien (A, 10 septembre) • MAISY, RENTRE À LA MAISON! S'IL TE PLAÎT! (D, 13 septembre) • Maisey! Dis-moi que t'es OK! Appelle-moi, tu connais mon numéro (K, 13 septembre) • Maisy! T'es où? Tu me manques… stp reviens. Tout le monde s'inquiète (M, 14 septembre) • Maisy, dis-nous que tu vas bien… Tu nous manques beaucoup! Je t'aime (M, 15 septembre) • Maisy!!!! Rentre à la maison!!! T'aiaiaiaiaime, Lala Princesses pour toujours (N, 18 septembre)[1].

— La dernière fois que j'ai vu Maisy, réfléchissait Maria. Je ne suis pas sûre. Mais je crois que c'était au printemps, quatre mois avant sa disparition. Elle était venue passer une semaine chez moi, à Ottawa. Elle était charmante, s'occupait de mes filles, les emmenait au Tim Hortons… Je me souviens même qu'elle m'avait prêté 40 dollars alors que c'était moi qui étais censée m'occuper d'elle!

Maria souriait.

— La dernière fois que j'ai vu Maisy, m'écrivait Rick, son père. C'était aux funérailles de John, le compagnon de ma sœur Maria…

---

1. Ces messages ont été postés sur le mur Facebook de Maisy dans les mois qui ont suivi sa disparition. Laurie Odjick m'a autorisée à les reproduire et à les traduire. Les messages adressés à Shannon ne sont plus accessibles.

— La dernière fois que je les ai vues, se souvenait Laurie. J'étais passée dire bonjour chez ma mère, et elles étaient en train de tondre la pelouse en riant, en plaisantant. Maisy m'a embrassée et m'a dit « *Love you Mom! Talk to you later!* », et je suis repartie. Je n'ai rien remarqué d'anormal.

— La dernière fois que je les ai vues, disait Lisa. C'était chez moi, le vendredi 5 septembre 2008, dans l'après-midi. Elles avaient passé la nuit ici et elles tondaient ma pelouse. Elles avaient besoin d'argent pour aller à la soirée dansante de l'école secondaire, et mon mari leur en a donné en échange de leur travail. Puis elles ont quitté la maison sur mon très vieux vélo, Shannon était sur le porte-bagages…

Lisa riait; elle *voyait* encore l'équipée joyeuse et brinquebalante qui s'engageait pour les sept kilomètres jusqu'à Maniwaki.

— La dernière fois que je l'ai vue, se remémorait Damon, le frère de Maisy. C'était la veille de la disparition, vers 20 heures, je me promenais à vélo, et elle traînait avec des amis dans la rue principale, devant l'ancien Hôtel central.

— La dernière fois que je les ai vues, racontait Bryan. C'était le samedi 6 septembre, les filles avaient dormi à la maison. Je suis parti prendre le bus pour Ottawa vers midi, Shannon m'a accompagné, et je lui ai donné un peu d'argent pour le week-end.

Maisy! Douze jours de pure torture! Dis-nous que t'es OK! (S, 18 septembre) • Maisy! Appelle chez toi au moins pour dire que t'es toujours en vie… Tout le monde s'inquiète, vraiment… est-ce

que tu sais à quel point tu fais du mal à ta famille et à tes amis en étant partie sans dire si t'es vivante ou morte ? Appelle ! (R, 19 septembre)
• Hé Maze, je pleure, tout le monde pleure, stp appelle chez toi ou dis-nous que t'es en sécurité stp appelle (A, 20 septembre).

Laurie et moi étions sorties du café un peu avant 11 heures, ce 11 janvier 2014. Elle avait mis des petites chaussures printanières alors que tout le Québec était recouvert de glace. En riant, elle s'était accrochée à mon bras et nous nous étions dirigées à pas prudents vers sa voiture. Elle m'emmenait voir les abords de la polyvalente, le nom qu'on continue parfois de donner aux écoles secondaires publiques ; un ensemble de bâtiments en briques qui me rappelait mon lycée, en France. C'est là qu'avait eu lieu la soirée dansante à laquelle s'étaient rendues les filles, le vendredi 5 au soir. Nous avons regardé les bancs, les pelouses recouvertes de neige.

— Je ne sais pas où elles étaient quand il y a eu la dispute, disait Laurie, peut-être ici, près de la passerelle ? Qui sait.

Des cousins et connaissances ont raconté à la police que les filles étaient arrivées ivres à la soirée, elles avaient ôté leurs piercings et prétendaient avoir fumé du crack. Elles s'étaient fait exclure assez rapidement. Une fois à l'extérieur, Shannon s'était disputée avec un cousin de Maisy, l'avait poussé contre un mur et lui avait déchiré sa chemise.

Elles étaient reparties ensemble, peu de temps après.

Puis Laurie m'a déposée à deux pas de l'ancien appartement de Bryan, rue Koko; un petit immeuble à deux étages, rouge en bas, blanc en haut, à proximité d'un parc de jeux. J'ai photographié furtivement l'appartement; les nouveaux locataires me regardaient à travers les fenêtres. Je voulais marcher sur les pas des filles, depuis l'appartement où elles s'étaient sans doute maquillées, habillées, jusqu'à la polyvalente. Des témoins les avaient vues partir à pied.

C'était un samedi en fin de matinée, le coin était désert et la route tellement glissante que je cheminais au beau milieu, sur les graviers qu'un camion municipal venait d'épandre. Maniwaki était blanc sale et pas tout à fait réveillé. Quelques habitants ôtaient la neige qui s'accumulait sur les toits. J'ai continué, croisant la rue Odjick (Lisa n'a pas su me dire de quel Odjick il s'agissait, plusieurs vieilles familles de la réserve portent ce nom). Damon m'avait dit avoir vu Maisy sur la *Main,* la rue principale, ce qui signifiait qu'elles avaient fait un détour avant d'arriver à la soirée dansante, et peut-être n'avaient-elles pas emprunté la passerelle verte au-dessus de la rivière sur laquelle je marchais, avec vue sur l'école.

Que s'étaient-elles dit, traversant la petite ville sans charme, aspiraient-elles à foutre le camp, à grandir plus vite encore; étaient-elles excitées par la soirée à venir, espéraient-elles des rencontres, du *fun.*

Maze stp reviens à la maison ou au moins appelle quelqu'un, je suis tellement bouleversée, il y a eu une cérémonie à l'école l'autre jour pour toi et Shannon avec ta sœur, ta mère et ta grand-mère. Tout le monde est malade d'inquiétude. Tu nous manques tellement à tous. Stp appelle, mes yeux pleurent pour toi, tu me manques ma copine, stp appelle-moi, suis fatiguée à en être malade parce que tu me manques trop je ne peux pas arrêter de penser à où tu es et ce que tu fais. Qu'est-ce qui se passe dans ta tête en ce moment tu rends tout le monde fou ici. Tu nous manques, on t'aime tous ici tout le monde attend qu'un téléphone sonne appelle moi Maz stp appelle bientôt dès que possible stp je t'aime (S, 23 septembre) • Hé Maze, Tu Nous Manques Et Je Pense Que C Le Moment De Revenir. Hé Maz Ta Mère T'aime Vraiment. C'était Le Bordel Entre Vous Mais Ca Arrive A Tout Le Monde. C'est Pas Grave. Maintenant Reviens. Parce Que Tout Le Monde Est Malade D'inquiétude (M, 26 septembre) • Hé Mais', on a distribué des tracts aujourd'hui, c'est partout dans la ville, tout le monde sait maintenant… Tu manques à tout le monde, des gens disent qu'ils t'ont vue dans Vanier à Ottawa ? Allez copine… reviens stp tu nous manques tellement!!! Je t'aime très fort! (M, 29 septembre).

Quand Maria a rempli, sous la dictée de Bryan, le dossier de Shannon pour la Missing Children Society, elle a rédigé ce commentaire : «Bryan a attendu vingt-quatre heures avant d'alerter la police, parce qu'il pensait que c'était la procédure.» Bryan et Lisa ont en effet appelé la police le mardi 9 septembre ; soit le lendemain de leur rencontre et de leur découverte des portefeuilles et des affaires des filles. Bryan a contacté la SQ à Maniwaki, et Lisa les services de Kitigan Zibi.

Le délai entre le moment supposé de la disparition et l'alerte donnée par les familles a été brandi comme excuse lorsque le travail de la police a été mis en cause. Par les services de police eux-mêmes – «Elles ont une bonne avance sur nous», a argumenté Gordon McGregor – et par l'éditorialiste du *Ottawa Citizen* qui donnait à ce délai une résonance sociale : «On a compris dès le début que ce cas avait ses caractéristiques et ses difficultés propres, à commencer par le fait que la disparition a été signalée à la police seulement quatre jours après [...]. Ce fait [...] est représentatif des difficultés auxquelles les jeunes filles étaient confrontées, probablement depuis le jour de leur naissance, dans leur quête légitime d'une vie décente. Si c'est une histoire d'inégalité sociale, alors cette histoire a commencé bien avant leur disparition[2].» Certains ont fait observer qu'à l'inverse, les parents du jeune Brandon, le fugueur fan de jeux vidéo[3], avaient alerté la police le lendemain même de sa fugue.

Mais les fameux «quatre jours» n'étaient en fait que trois – et peut-être même moins. Maisy et Shannon ont été vues pour la dernière fois par Bryan, le samedi 6 septembre vers midi. Il est revenu d'Ottawa plus vite que prévu, le lendemain, vers 17 heures. On ne peut savoir, dans ce laps d'à peine trente heures, à quel moment précis elles ont disparu. Le samedi soir. Le dimanche matin.

— Ma mère m'a appelée dès le dimanche midi, inquiète de n'avoir aucune nouvelle de Maisy,

2. «Missing Maisy and Shannon», *loc. cit.*
3. Voir chapitre 8.

qu'elle avait essayé de joindre plusieurs fois à l'appartement, m'a raconté Laurie. Je travaillais au Home Hardware ce jour-là. Il n'y avait alors pas de raison de s'inquiéter. Je lui ai dit « Maman, ce sont des adolescentes… Elles dorment encore ou bien elles sont chez des amis… » Le lundi, j'espérais encore qu'elles allaient réapparaître. Mais à ce moment-là, j'étais peut-être dans le déni, a-t-elle ajouté.

Certes, Bryan aurait pu s'inquiéter dès son retour, le dimanche soir ; certes, l'alerte aurait pu être donnée dès le lundi. Disons qu'il y a eu vingt-quatre heures de trop ; pas quatre jours. Le retard a surtout été pris par la police elle-même, incapable de réagir promptement aux fameux *red flags,* tous ces signes qui suggéraient que les filles n'étaient pas parties volontairement, et d'analyser correctement les indices dans l'appartement. Et puis la comparaison avec la fugue de Brandon Crisp n'est pas pertinente. Quand le jeune Ontarien de 15 ans a décidé de quitter la maison familiale pour protester contre la confiscation de sa Xbox, son père lui-même l'a aidé à faire son sac, dans un geste qu'il espérait éducatif : va donc faire un tour, je comprends ta colère – quelque chose comme ça. Il n'imaginait pas que la fugue prendrait réellement forme ; il avait de bonnes raisons d'être inquiet quand son fils n'a pas donné signe de vie le lendemain de son départ.

Et qu'aurait-on dit de Laurie ou Bryan s'ils avaient aidé les filles à faire leur sac, à fuguer.

Le silence des adolescents. Le mystère dont ils entourent des pans entiers de leur vie. L'angoisse qu'on tente de museler lorsque la nuit tombe et que l'enfant ne répond pas au téléphone. La montée de l'inquiétude, interrompue par des moments de rémission. La peur d'appeler la police pour rien. Des parents non autochtones auraient probablement pu convaincre les journalistes de l'authenticité de leur angoisse et des raisons pour lesquelles ils avaient attendu avant d'agir. C'est plus difficile quand on habite dans une réserve.

Lorsque la disparition a été annoncée, l'administration de Kirigan Zibi a accordé trois jours de congé à Laurie. Puis elle a repris son travail d'animatrice à la radio de la réserve. Comment fait-on pour faire comme si de rien n'était ; est-ce que tu as dit quelque chose au micro, lui ai-je demandé. « C'était trop bouleversant. Je n'ai rien pu dire. D'autres animatrices s'en sont chargées. »

Hé Maisy… Tu Me Manques… J'ai Vraiment Besoin de Toi, Et Tu N'es Même Pas Là Pour Parler Avec Moi. J'espère Que Tu Vas Bien Maze… Tu Ne Pourras Peut-être Pas Lire Ca, Mais Ca Me Fait Du Bien De T'écrire… T'es Ma Meilleure Amie Pour Toujours. Je T'aime. S'il Te Plaît Reviens (R, 3 octobre) • Mais', reviens stp tu me manques tellement, tout le monde est malade d'angoisse… s'il te plaît appelle s'il te plaît… je t'aime… encore (M, 7 octobre) • Tu me manques, rentre vite (J, 17 octobre) • MAISY!! APPELLE! ON VA PAS SE FÂCHER!! ON A BESOIN DE SAVOIR QUE TU VAS BIEN!! S'IL TE PLAÎT! TOUT LE MONDE ICI VEUT DE TES NOUVELLES! C'EST DIFFICILE DE RETENIR MES LARMES!! DIS-NOUS JUSTE QUE TOUT VA BIEN!! Oupss les majuscules marchent plus… (S, 18 octobre) • Maisy, dis à quelqu'un

que tu vas bien tu manques beaucoup à tout le
monde et tout le monde veut juste savoir que
rien de mal ne t'est arrivé (S, 22 octobre).

Mon avis de recherche favori est celui qu'ont
publié conjointement la police provinciale de
l'Ontario et la sq, probablement pendant l'hiver
2008-2009. Les deux filles y sont rassemblées, et
celui ou celle qui l'a conçu a pensé à publier deux
photos par jeune fille, au lieu d'une. C'est une des
recommandations de Maryanne Pearce dans sa
thèse. Les adolescentes changent souvent de coif-
fure, a-t-elle observé d'expérience, en pensant à sa
propre fille. C'est absurde de se satisfaire d'une
seule photo pour aider le public à identifier une
jeune disparue.

On voit donc à la fois une Maisy ravissante aux
cheveux attachés dans le dos, avec ses *piercings* à la
commissure des lèvres et à la narine, mais aussi la
garçonne espiègle aux cheveux courts; quant à
Shannon, c'est une belle fille au menton levé et au
front dégagé sur la photo de gauche, et une Louise
Brooks à frange, sur celle de droite. Une autre
affiche montre cinq photos différentes de Shannon
– en jeune fille fatiguée, au sourire contraint; en
cadette au béret et au regard intense; aux cheveux
très courts; bronzée; à frange encore; incroyablement différente d'une photo à l'autre. On mesure
la plasticité de ces visages adolescents, on devine à
quel point l'humeur du jour pouvait modifier
leurs traits; on apprécie que ces photos rendent
hommage à la multiplicité des deux jeunes filles,
qui n'étaient pas faites d'un bloc, ne se résumaient

pas, par exemple, à leur ascendance autochtone, ou bien à leur goût pour la marijuana.

Et si j'ai de la gratitude pour les avis de recherche, en dépit de leur aspect morbide et des sinistres numéros de dossier qui y figurent (20080216 et 20080215, mais aussi 2012020142, selon les corps de police), c'est aussi parce qu'ils témoignent de l'existence concrète de Maisy et Shannon ; de ce qu'elles ont, ou ont eu, un corps, des vêtements, des signes particuliers ; ils les empêchent de se transformer en fantômes. Quand elle a disparu, Shannon avait des cicatrices au genou gauche, les oreilles et le nombril percés ; son teint était « grêlé », avec des boutons ; elle avait un collier en argent avec une plume. Elle parlait anglais et français, lit-on, et mesurait, selon les avis, 1 mètre 75, 1 mètre 76 ou 1 mètre 78 ; la dernière fois qu'elle a été vue, elle portait « des souliers de course blanc et rouge de marque Asics ». Maisy avait pour sa part « des perçages sur la lèvre inférieure et la narine gauche, des cicatrices sur le haut du sourcil droit et sur l'avant-bras gauche » et un autre piercing au thorax ; elle portait des *black capris* (un pantacourt ou bermuda noir et moulant) et un t-shirt vert ; elle mesurait, selon les avis, 1 mètre 78 ou 1 mètre 83, et ne parlait qu'anglais.

Bon 17e anniversaire Maisy… J'espère que quelque part tu pourras lire ça et voir qu'on est nombreux à t'aimer… tu me manques et je t'aime tellement ! (M, 6 novembre) • Bon Anniversaire Ma Petite Maisy… Je T'aime Hâte De Te Serrer Dans Mes Bras Et De T'embrasser !!! (L, 7 novembre)

Shannon et Maisy sont revenues de la soirée écourtée, sans doute en colère après leur éviction, peut-être encore intoxiquées. Elles se sont couchées, Shannon dans sa chambre, et Maisy sur le canapé du salon. Quand Shannon a accompagné Bryan à l'arrêt du bus, vers midi, Maisy dormait encore.

Et ensuite.

Que s'est-il passé.

Un revendeur de marijuana connu dans la réserve les a appelées à plusieurs reprises dans l'après-midi.

Maisy a longuement téléphoné à des amis de la région de Saugeen, la communauté de son beau-père en Ontario.

Les voisins ont entendu les bruits d'une petite fête dans la soirée.

C'est tout ce que je sais.

J'ai aussi lu ceci dans le dossier de la Missing Children Society rempli par Maria sous la dictée de Bryan :

Gang X[4] : Shannon s'est battue avec un gars de ce gang / des rumeurs disent que Shannon avait peur / dans le gang, les membres avaient de 14 à 24 ans / Autochtones contre non-Autochtones / X a été poignardé par un gars de ce gang l'année dernière.

X : a écrit des trucs bizarres sur la page Facebook de Shannon / a été la dernière personne à appeler Shannon / elle ne répond plus au téléphone.

X : son récit a changé à plusieurs reprises à propos de la dernière fois qu'il a parlé avec Maisy ou Shannon.

---

4. J'ai supprimé le nom du gang. Les prénoms ou initiales ont été changés.

Le gang cité dans le premier paragraphe est un groupe de Blancs de Maniwaki.

Les convives supposés de la petite fête, deux jeunes gens de la réserve, ont été interrogés par la police.

De tout cela, rien n'est sorti.

Toutes les pistes, dit la police, ont été explorées – mais mal, mais trop tard. Un ancien policier de la GRC, venu faire une enquête bénévole pour la Missing Children Society, a dit à Maria au terme de son travail :

— J'ai l'impression d'en savoir encore moins que lorsque je suis arrivé.

Les filles donnaient l'impression d'avoir effacé leurs traces avec un balai, puis de s'être envolées dessus.

Un enquêteur de la SQ est toujours sur l'affaire. Un jour, peut-être, quelqu'un parlera, comme l'espère Gilbert.

*

* *

Bon 17e anniversaire ma fille, nous t'aimons et tu nous manques… Ta sœur voulait qu'il y ait un gâteau et des bougies. Alors ce soir on fête ton anniversaire. Tu leur manques et ils te réclament tous les jours. Appelle Grandma, c'est tout ce que tu as à faire, on veut juste entendre ta voix et savoir que tu vas bien. Juste un coup de fil… S'il te plaît… Je t'aime fort. Ta Famille (6 novembre).

La dernière fois que je suis allée à Kitigan Zibi, j'ai quitté la réserve par le sud. Je me suis retournée pour regarder les filles sur le grand panneau. J'aimerais bien les connaître. Leurs silhouettes longilignes, leur appétit vital hantent les rues de Kitigan Zibi et de Maniwaki.

Où sont-elles.

Photographe: Rémi Leroux.

REMERCIEMENTS

Un merci très spécial à Laurie Odjick, Lisa Odjick, Mark Roote, Rick Jacko, Damon Jacko, Maria Jacko, Bryan Alexander, Gilbert Whiteduck, Gordon McGregor; un merci vers l'au-delà à Pamela Sickles, la grand-mère de Shannon, décédée le 22 mai 2014, et qui ne saura jamais ce qui est arrivé à sa petite-fille;

Merci infiniment à Maryanne Pearce, dont le travail et la générosité sont exemplaires; à Brendan Kennedy, pour sa disponibilité, sa gentillesse, et pour la qualité de ses articles sur Maisy et Shannon;

Merci à Michèle Audette et Lorna Martin de l'Association des femmes autochtones du Canada, et à toute la gang de Femmes autochtones du Québec – dont Viviane Michel, Widia Larivière, Aurélie Arnaud, Alana Boileau, Josyane Loisell-Bourdeau. Merci à Craig Benjamin, Karine Gentelet, Béatrice Vaugrante, d'Amnesty International;

Merci à Sylvain Lafrance et Georges Lafontaine, de Maniwaki, Val Napoleon de l'Université de Victoria, Alex Smale de Statistique Canada, Jean-Marie David du Comité spécial sur les violences faites aux femmes autochtones, Melanie Morrison, de Kahnawake, Bridget Tolley de Families of Sisters in Spirit, Maya Rolbin-Ghanie de Missing Justice, Audrey Huntley de No More Silence, David Falls de la Gendarmerie royale du Canada;

Merci à Vida Dardachti, Éva Kyziridès, Sonia Martin, Kate Battle, Larissa Hallis, pour les petits et grands coups de main en retranscription et traduction;

Merci à mon éditrice, Alexandre Sánchez, à Mireille Paolini, à David Dufresne pour tout et plus encore, et à Rémi Leroux, photographe sensible;

Merci, enfin, au Dépanneur Café, et à ceux et celles qui n'ont jamais cessé de m'encourager: Ginette Viens, Benoît Roy, Judith Rouan, Eric et Colette Walter.

Merci à Ju, Jo et Gus.

Merci! *Miigwetch!*

ANNEXES

LETTRE OUVERTE
DE LAURIE ODJICK,
8 MARS 2009

À qui de droit,

C'est à titre de citoyenne et de mère préoccupée que j'écris cette lettre. Je souhaite attirer votre attention sur plusieurs problèmes concernant la disparition de ma fille Maisy Odjick, et la façon dont ce dossier a été géré par la police de Kitigan Zibi et la Sûreté du Québec (SQ). Depuis la disparition de ma fille, le 6 septembre 2008, et jusqu'à ce jour, le soutien de ces corps policiers a été quasiment nul et nous n'avons eu pratiquement aucune nouvelle de leur enquête. Ce manque de service et d'appui a duré six mois, des mois longs, frustrants et épuisants.

Ma fille de 16 ans n'était pas seule quand elle a disparu. Elle était avec son amie Shannon (17 ans), ce 6 septembre 2008, quand elles ont toutes les deux disparu. Je suis profondément inquiète pour Shannon, mais par respect pour son père et le reste de sa famille, je ne peux pas parler et je ne parle pas en son nom dans cette lettre.

Je suis convaincue que les instances gouvernementales, les agences et le public doivent être
informés du fait que les services de police, notamment celui de Kitigan Zibi (kzps), se sont compor-
tés de manière incompétente et n'ont fait preuve
d'aucun professionnalisme, et cela, sans même
s'en excuser. De plus, en tant que membre de la
communauté de Kitigan Zibi Anishnabeg, je suis
aussi extrêmement mécontente du manque de
leadership du chef de bande, de son incapacité à
mener des actions concrètes et à exiger que la
police assume ses responsabilités dans le dossier de
ma fille. Ce manque de soutien, de transparence et
de responsabilité est inacceptable. Comme vous
pouvez vous en douter, la disparition d'un enfant
suscite un raz-de-marée d'inquiétude, un immense
sentiment de perte, d'isolement, de chagrin, d'angoisse et une douleur émotionnelle extrême. Je vis
avec cela chaque minute de ma vie.

J'exige que soit respecté mon droit d'accéder
aux services, à la justice et à de l'aide pour retrouver ma fille. J'ai exercé mes droits depuis le début.
Pourtant, j'ai l'impression qu'on ne reconnaît pas
mon droit d'accéder à l'information qui concerne
ma fille mineure. Par exemple, lorsque j'ai appelé
la sq pour parler à un policier qui enquêtait sur le
cas de Shannon Alexander, on m'a dit de m'adres-
ser au kzps parce que la sq n'avait pas de dossier
me concernant et que je ne suis pas de la famille de
Shannon. Je comprends ce qu'implique la confidentialité, mais vers qui puis-je me tourner si je
veux que la police me donne des renseignements,
mais que je ne reçois rien ou presque du kzps ? Et

lorsque je reçois quelque chose, ce ne sont que des bribes d'information dépourvues de tout professionnalisme.

Par ailleurs, il a fallu que je persiste dans ma requête pour que la police me fournisse quelque chose. Mes nombreuses demandes pour obtenir des rapports me prennent un temps fou et m'accaparent entièrement. Depuis septembre 2008, je n'ai reçu qu'un seul rapport. Pour enfin l'obtenir, il a fallu deux mois (décembre 2008 à février 2009) de requêtes constantes auprès du chef et du conseil de bande de Kitigan Zibi Anishnabeg. Tout récemment, j'ai reçu un document de huit pages, à double interligne, sans en-tête ni signature. Je tiens à souligner qu'après l'avoir lu, j'ai eu le sentiment d'avoir fait le travail de la police parce que je n'y ai trouvé que les indices et les sources que j'avais moi-même fournis. Au bout du compte, il n'y a rien de solide. Une fois de plus, je me retrouve avec encore plus de questions, de doutes et une impression de vide extrême.

Je précise aussi que tout de suite après la disparition de Maisy et Shannon, aucune recherche ni enquête dignes de ce nom n'ont été menées. Aujourd'hui, les éléments de preuve recueillis en septembre 2008 sont endommagés parce que les policiers qui les ont ramassés n'avaient pas l'expertise pour le faire correctement. Sans parler du fait que les familles des disparues n'ont jamais été informées des éléments de preuve recueillis.

Très récemment, une source journalistique m'a appris que la SQ avait des preuves indiquant que Maisy et Shannon auraient fugué. Si c'est le cas, pourquoi ni le KZPS ni le conseil de bande ne m'ont-ils prévenue? Si c'est le cas, est-ce que le dossier est clos? Si c'est le cas, la disparition de ma fille est-elle élucidée? Un certain nombre de questions subsistent: où est ma fille, quels moyens seront déployés pour la trouver, et quelles sont les preuves qui ont permis d'en arriver à cette conclusion? J'exige ce qui m'est dû, c'est-à-dire rien de moins que d'être tenue au courant et de voir les éléments de preuve en question ainsi que tout autre élément d'information lié à ce dossier.

Depuis la disparition de ma fille, j'ai demandé des réponses à mes nombreuses questions. J'ai exigé une enquête complète et adéquate. J'ai réclamé un rapport complet des actions cohérentes qui ont été menées et leurs résultats. J'ai demandé à être en communication permanente avec les services de police. Aucune de mes requêtes et exigences n'a obtenu de réponse respectueuse et satisfaisante. Depuis septembre 2008, j'ai demandé à ce qu'on réponde à deux questions bien simples, mais fondamentales: pourquoi le dossier de ma fille a-t-il été transféré par la SQ au KZPS? Qui a donné cet ordre? Je ne peux pas m'empêcher de penser qu'ici, on essaie de cacher quelque chose.

Je ne comprends pas pourquoi ce transfert de dossier a eu lieu sous prétexte que ma fille n'était pas sur la réserve lorsqu'elle a disparu. D'un côté, en regardant la situation, on pourrait dire que cette décision découle d'un problème de juridiction, mais, d'un autre côté, la juridiction responsable est celle du lieu où le préjudice a été commis. Dans le cas de ma fille, le préjudice est sa disparition, et sa disparition est advenue quand elle était à l'extérieur de la réserve. La sq, donc, est l'autorité policière qui devrait mener l'enquête et traiter le dossier. Je ne veux pas que ma fille devienne un problème juridictionnel ni qu'elle soit immédiatement traitée comme une adolescente « fugueuse ». Ce sont de mauvaises excuses utilisées pour nier la gravité de la situation, pour refuser d'apporter du soutien et des ressources, pour faire preuve de discrimination contre moi et ma fille, pour refuser d'être tenu responsable et ne pas rendre de comptes à la population. C'est une façon inacceptable de se comporter avec moi en tant qu'être humain, en tant que mère, en tant que membre de la communauté et en tant que citoyenne.

En substance, j'ai le sentiment que le kzps et Kitigan Zibi Anishnabeg ont eu recours à la pratique qui consiste à rejeter le blâme sur la victime. Je suis la victime, mais pour ces instances, c'est de ma faute si Maisy est partie ; c'est de ma faute si elle a disparu ; c'est moi qui ai attendu trop longtemps avant d'alerter la police ; c'est moi qui n'ai pas communiqué avec les policiers assez régulièrement.

C'est de ma faute parce que je demande des réponses et des comptes, et que j'exige que des actions soient menées par les deux entités policières ? Traiter la disparition de ma fille comme un cas de fugue d'adolescente, suggérer qu'elle avait des mœurs légères, m'accuser d'être celle qui a failli est abominablement inacceptable. J'ai l'impression qu'on nie la justice. Je réclame de manière urgente que les instances responsables agissent de façon à la retrouver. J'exige que les autorités policières appropriées fassent toutes les démarches nécessaires pour retrouver la trace de ma fille. Ma fille mérite le même soutien et la même justice que n'importe quelle autre personne disparue, Brandon Crisp, Ardeth Woods ou Jennifer Teague.

Le temps consacré, les sommes d'argent allouées et l'attention médiatique mobilisée pour retrouver un lionceau évadé sont insensés alors que presque rien n'a été fait pour nos filles disparues. Combien d'argent a été dépensé pour retrouver Boomer, le bébé lion ? Maisy et Shannon sont des membres de la communauté ; elles sont aussi citoyennes de la société et elles méritent attention, aide et justice.

Que ma fille revienne à la maison ou que l'on sache au moins où elle se trouve, savoir ce qui lui est arrivé, voilà mes priorités et c'est avec un sentiment d'urgence que je fais appel à vous pour m'aider à obtenir des réponses promptes, professionnelles et claires de la SQ, du KZPS et du chef de Kitigan Zibi Anishinabeg ; pour obtenir une enquête en bonne et due forme sur la disparition de Maisy, appuyée par des expertises appropriées ; et pour qu'à moi, à ma famille et au reste de la population le KZPS, le chef et le conseil de Kitigan Zibi Anishinabeg rendent des comptes et admettent leur incapacité à faire preuve de diligence, de transparence et de responsabilité dans le cas de ma fille.

Si vous souhaitez discuter du contenu de ma lettre, n'hésitez pas à m'écrire à l'adresse suivante : justiceformissing@gmail.com. Dans l'attente d'une réaction de votre part concernant les problèmes soulevés dans cette lettre, je vous remercie de l'attention et de l'aimable considération que vous accorderez à la présente.

Sincèrement,

Laurie Odjick

DISCOURS DE CONNIE GREYEYES
SUR LA COLLINE DU PARLEMENT,
4 OCTOBRE 2013

Voici les histoires de ma cousine, de ma tante et de mes amies, des femmes aimées et qui nous manquent aujourd'hui. En 2008, mon ami Dave m'a parlé des veillées de Sisters in Spirit. Il était tellement enthousiaste, il m'a dit : on doit en organiser une. J'ai dit oui. Ce soir a lieu la sixième veillée à Fort St. John (Colombie-Britannique). Malheureusement, mon ami est décédé après le premier rassemblement, mais il est avec moi aujourd'hui. Comme un frère par l'esprit. Ce n'est que très récemment que je me suis rendu compte que j'ai toujours été entourée par cette violence et que mon histoire n'est pas unique. Beaucoup d'entre nous ont des amies, des tantes, une mère, des filles ou des sœurs qui ont disparu.

La première qui me vient à l'esprit, c'est Florence Starr, de Fort St. John, l'arrière-grand-mère de ma grande amie et la mère d'une autre amie. Elle a été assassinée en 1965, puis abandonnée sur le bord de la route, comme un déchet. Le coupable a écopé de deux ans moins un jour. Il a fait dix-huit mois, puis a été libéré. En fait, il avait un juge de son côté… une des filles de Florence m'a raconté qu'un juge avait témoigné devant la Cour en sa faveur, pour dire à quel point c'était un homme bon.

Je me souviens que lorsque j'avais 8 ans, nous allions souvent rendre visite à une très belle femme qui s'appelait Sandra Calahesen. Elle était tellement jolie qu'elle me faisait penser à Priscilla Presley. Et je me disais : « Quelle belle fille, j'espère que je vais lui ressembler quand je serai plus vieille. » On l'a retrouvée sur la route 101. Celui qui a été arrêté a été accusé d'avoir profané un cadavre.

L'autre femme… Quand j'étais adolescente, je suis devenue amie avec une fille fantastique, du genre à ne pas se laisser faire, une fille incroyablement drôle. Nous avons fait toutes sortes de folies ensemble. Elle a disparu en 1988. Elle s'appelle Stacey Rogers. Une femme que tout le monde aimait et qui nous manque, et nous nous demandons où elle est…

Ma famille entretenait une amitié de longue date avec une femme rousse et flamboyante. Elle était tellement forte qu'elle réussissait tout ce qu'elle faisait. Elle s'appelait Ramona Jean Shuler. On ne l'a pas revue depuis novembre 1993, et c'est pour elle surtout que j'ai commencé les veillées à Fort St. John. Parce que ma rousse amie me manque. Elle était belle. Elle a des enfants qui s'ennuient d'elle. Je vois des photos de sa fille sur Facebook, et de la fille de sa fille, et je me demande si elle les voit, elle aussi… Quelle perte tragique… Où est-elle ?

En 1993, au même moment, ma cousine Joyce Cardinal, une femme magnifique, a été tuée à Edmonton. On l'a battue et aspergée d'essence. Et quand les policiers sont arrivés, ils ont cru que c'était un feu d'ordures parce que les flammes faisaient cinq pieds de haut. On l'a laissée pour morte là. Ma cousine, une guerrière, est décédée 22 jours plus tard à l'hôpital. Il y a quelque temps, je suis allée voir ma tante dans ma communauté. Je me rappelle de l'avoir regardée en me demandant si elle se souvenait. Elle avait commencé à perdre la mémoire et je me disais, c'est horrible de penser ça, mais c'est peut-être une bonne chose de ne pas se rappeler qu'une telle chose est arrivée à sa propre fille, d'oublier que quelqu'un l'a battue, l'a brûlée vive et l'a laissée mourir là.

Peu avant 1994, Molly Apsassin, une femme très forte du peuple danezaa, marchait dans la réserve de Doig River First Nation, sa communauté. Quelqu'un lui a tiré dessus, au hasard, et l'a tuée. Le meurtrier a été banni de la réserve.

En 2005, on m'a parlé d'une jeune femme disparue. Elle s'appelait Rene Gunning. Elle avait un fils, D'Andre. Je suis devenue amie avec son père, Jo, qui a toujours soutenu les veillées. Et je me souviens du jour où il a dû aller la déclarer morte officiellement. Ils l'ont retrouvée juste avant une de nos vigiles et on m'a demandé d'aller l'accompagner, lui et sa fiancée. Je nous revois parler, prier, battre le tambour pour la cérémonie de purification. Elle avait un fils! Et lui, il a perdu sa mère. Comment doit-on se sentir maintenant qu'ils l'ont retrouvée? Elle n'était pas seule, elle était avec

Krystle Knott qui a disparu avec elle. Mais c'est presque un soulagement de savoir qu'elle n'était pas seule cette nuit-là.

Ces femmes viennent toutes de Fort St. John. L'année suivante, ma grande amie Shirley Clethroe a, elle aussi, disparu. Sa famille a cru qu'elle était partie chez une amie ou chez ses sœurs et ce n'est que sept jours plus tard qu'ils ont pu légalement signaler sa disparition. Lorsqu'elle ne s'est pas présentée en Cour pour comparaître, la police a dit « Ok, dans quarante-huit heures vous pourrez faire le signalement. » Sa fille était ici l'année dernière, et je porte son histoire avec moi. C'était une grande amie et elle me manque.

En mai 2008, Annie Davis a été tuée à Chetwynd, pas très loin de Fort St. John où habite sa famille. Elle est de la famille Apsassin, comme Molly qui a été tuée par balle à Doig River. En 2010, Cynthia Mass, de la même famille, a été trouvée morte à Prince George (Colombie-Britannique). On pense qu'elle a été tuée par Cody Legebokoff et je crois qu'il est cité à comparaître bientôt.

En 2010, ma chère tante Nora qui avait 87 ans a été frappée par une unité mobile de traitement. Pour ceux qui ne voient pas de quoi il s'agit, c'est un peu comme une ambulance pour les pipelines et les installations de forage. Il y avait trois personnes dans le véhicule quand ils lui ont roulé dessus. Ils sont sortis du véhicule et quand ils l'ont vue par terre, et mon oncle juste à côté qui avait tout vu, ils ont choisi de remonter dans le camion et de partir. Ils ont choisi d'abandonner une femme âgée qui venait de se faire rouler dessus et de la laisser mourir.

En parlant à mon oncle après, j'ai appris que la personne qui l'avait renversée était un ami de la famille. La police nous a dit que tant qu'il ne reconnaîtrait pas ses actes, il ne serait pas accusé. Alors je lui ai écrit et je lui ai envoyé un message vidéo. Je lui ai dit: «C'est ma tante que tu as renversée, et l'année dernière, tu étais des nôtres et tu as marché avec nous sur la rue principale de Fort St. John, au rythme des tambours qui grondaient pour mettre fin à la violence et pour réclamer justice pour nos femmes.» Et il a fait ce qu'il fallait. Il a écopé de deux ans pour l'avoir écrasée. Les deux autres qui étaient dans le véhicule, dont une ambulancière, n'ont jamais, jamais subi les conséquences de leurs actes. L'ambulancière a lancé son propre service de premiers soins… Tout ça parce que, au Canada, si on n'est pas le conducteur responsable de l'accident, ce n'est pas un crime d'abandonner la victime d'un acte criminel, même si la personne est morte.

Il y a une autre fille de Fort St. John qui a disparu et je crois que sa famille va assister à une vigile pour la première fois. Elle a disparu en 2010. Elle s'appelait Abigail Andrews. Elle était enceinte. Et ce soir, mon cœur est à Fort St. John parce que je sais à quel point ce que sa famille va vivre est terrible.

En écrivant ce que j'allais vous dire, je me suis sentie triste de devoir prendre ces notes pour me rappeler toutes ces femmes de Fort St. John qui ont disparu. Et on dirait que ça n'inquiète personne!

Combien de marches et de vigiles devra-t-on organiser pour qu'on dise enfin : « Qu'est-ce qui se passe ici ? »

Fort St. John est une communauté de 18 000 à 20 000 habitants en hiver, quand il y a du travail ! Pourquoi y a-t-il autant de femmes disparues ? Je me suis mise à pleurer et je me suis rappelée la nuit où quelqu'un a essayé de m'attraper. Cette nuit-là, il y avait une pluie de météores, et l'homme m'a suivie dans la rue et je me souviens que je sentais le danger dans mon ventre, je savais que quelque chose allait arriver et j'avais peur. J'ai continué de marcher et j'ai tourné le coin pour aller chez ma mère. Il a essayé de me barrer la route. Il m'a pris le bras, mais avec mon autre main je lui ai donné un coup sur le nez et je me suis mise à courir. Quand j'ai appelé la police pour faire le constat, je pleurais sans arrêt. Les policiers m'ont rejetée, comme ils l'ont fait avec toutes les autres familles. Personne ne m'a demandé si j'étais blessée ou si je me souvenais de quelque chose. Il n'y a jamais eu d'appel de suivi. C'était seulement une autre femme autochtone, voyez-vous, elle n'aurait pas dû se promener le soir comme ça, parce que... vous savez bien… en Colombie-Britannique, je n'ai pas le droit de marcher la nuit.

Pour conclure, j'aimerais vous lire un texte que Helen Knott, une jeune poétesse, a écrit en honneur des femmes disparues ou assassinées.

Tes yeux
font une courbe
autour de moi.

Je te regarde t'efforcer
de trouver un chemin
pour me dépasser.

Ta vision est comme un remous
qui bouillonne
à côté de moi,
derrière moi,
qui me pousse,
me consume indirectement.

Il paraît
que le chemin de la moindre résistance
fait plier hommes et rivières

Je suis là.
J'ai résisté.
Je résiste.
Je ne t'ai pas fait plier.

Quel est le secret
de tes géants structurels ?
Et celui
de ta protection grêlée ?
Qu'est-ce qui fait la force
de tes fausses perceptions ?

Quelles croyances
as-tu nouées à mon corps ?
De quelles pathologies
as-tu teinté le pigment de ma peau ?
Quelle potion maléfique
tes aïeux ont-ils utilisée
pour me rendre
invisible ?

Tu ne veux pas me voir.
Tu as le choix
de me voir
ou pas.

Je deviens une victime de ta cécité.
Soumise à ton unilatérale
inattention,
parce que tu as le privilège
de la vision sélective.
Tu arraches les couleurs
qui ne correspondent pas
à ta préférence périphérique,
et je ne suis pas dans ton arc-en-ciel
tes promesses
tordues et lumineuses
de meilleurs lendemains.

Mon visage peut être collé sur des affiches
qui te disent ce que je portais
la dernière fois qu'on m'a vue,
avec des descriptions précises,
une localisation pour les repères,
et tu as le choix de
regarder au-delà de moi…
de continuer
sans soucis.

Mon héritage et mes cheveux noir corbeau
ne sonnent pas
l'alarme.
Ça ne te bouleverse pas de
me rechercher,
parce que
tu ne m'as jamais

vraiment
vue.

Pourtant tu m'as bien vue.
Tu m'as vue sur les coins de rue,
lèvres rouges comme les sirènes,
rêves brisés comme
les seringues des trottoirs,
érotique comme les vitraux d'une église catholique,
soumise et silencieuse.

Tu me vois dans les files d'attente de l'aide sociale,
mains grand ouvertes,
attendant ce qui m'arrivera.
Boire des concoctions mortelles
derrière les poubelles.
Tu me vois comme une statistique sur pattes,
un stéréotype qui vit, respire et vomit.

Tu me vois au bar,
une blague de plus
pour toi et tes amis,
une
squaw
de plus,
mais si tu veux baiser,
je suis ta
Pocahontas.

À tes yeux,
je suis jetable.

Voilà comment tu me vois.

Je ne mérite pas les étoiles,
je ne suis bonne qu'à être traînée sous les étoiles
et qu'à fournir du plaisir.

C'est étrange que tu ne réussisses pas
à me voir
quand je suis
couchée sur le dos, les lèvres boursouflées,
le corps gonflé et battu,
meurtri, méconnaissable.
Je n'attire toujours pas ton attention ?

Allez poupée,
emmène-moi dehors en dansant.
Je crois qu'elle voulait seulement
s'amuser,
il paraît qu'elle avait
des comportements à risque.
C'était inévitable, disent-ils.
Voilà comment tu me vois.

Jamais comme la fille de quelqu'un.
Jamais comme la mère de quelqu'un.
Jamais comme la tante, la sœur, l'amie.
Jamais je ne suis perçue
comme forte,
comme fière,
comme résiliente.
Jamais comme ce que je suis.

On m'a enfin donné les étoiles,
couchée sur les routes de campagne pour les regarder,
dans les caniveaux et les ruelles,
sur les bouts fantomatiques de
sentiers pierreux et oubliés.
Ton immensité
m'avale.
Est-ce que j'entre dans ton champ de vision ?

Me vois-tu maintenant, Stephen Harper [1] ?

Parce que j'ai l'impression
que tes yeux
font une courbe
autour de moi.

1. Le nom de Stephen Harper a été ajouté au texte origi-
nal par Connie Greyeyes, avec l'accord d'Helen Knott.

LISTE DES RAPPORTS CONSULTÉS[1]

Cherry Kingsley et Melanie Mark, *Sacred Lives: Canadian Aboriginal Children & Youth Speak Out About Sexual Exploitation,* National Aboriginal Consultation Project, 2000.

Amnesty International, *Canada: on a volé la vie de nos sœurs. Discrimination et violence contre les femmes,* octobre 2004.

Jodi-Anne Brzozowski, Andrea Taylor-Butts et Sara Johnson, « La victimisation et la criminalité chez les peuples autochtones du Canada », *Juristat,* vol. 26, n° 3, Centre canadien de la statistique juridique, 2006.

Anupriya Sethi, « Domestic Sex Trafficking of Aboriginal Girls in Canada: Issues and Implications », *First Peoples Child & Family Review,* First Nations Caring Society of Canada, 2007.

Femmes autochtones du Québec, *Les femmes autochtones et la violence,* Rapport présenté au Dr Yakin Ertürk, rapporteure spéciale des Nations Unies sur la violence à l'égard des femmes, janvier 2008.

---

1. Par ordre chronologique de publication (2000-2014).

Association des femmes autochtones du Canada, *Les voix de nos sœurs par l'esprit : un rapport aux familles et aux communautés,* novembre 2008 et mars 2009.

Amnesty International, *Assez de vies volées. Discrimination et violence contre les femmes autochtones au Canada : une réaction d'ensemble est nécessaire,* 2009.

Shannon Brennan, *La victimisation avec violence chez les femmes autochtones dans les provinces canadiennes,* Statistique Canada, 2009.

Anette Sikka, *Trafficking of Aboriginal Women and Girls in Canada,* Université d'Ottawa, Institut sur la gouvernance, 2009.

Association des femmes autochtones du Canada, « Causes premières de la violence envers les femmes autochtones et répercussions de la colonisation », dans *Guide de ressources communautaires. Qu'est-ce que je peux faire pour aider les familles de femmes et de filles autochtones disparues ou assassinées ?,* 2010.

Association des femmes autochtones du Canada, *Ce que leurs histoires nous disent. Résultats de recherche de l'initiative Sœurs par l'esprit,* 3e édition, mars 2010.

Kristen Gilchrist, « "Newsworthy" Victims ? Exploring Differences in Canadian Local Coverage of Missing/Murdered Aboriginal and White Women », *Feminist Media Studies,* vol. 10, n° 4, 2010.

Comité permanent sur la condition féminine, *Un cri dans la nuit : un aperçu de la violence faite aux femmes autochtones,* Rapport provisoire, Chambre des communes, mars 2011.

Comité permanent sur la condition féminine, *Mettre fin à la violence contre les filles et les femmes autochtones – Un nouveau départ grâce à l'autonomisation,* Rapport définitif, Chambre des communes, décembre 2011.

Lyse Montminy *et al., La violence conjugale et les femmes autochtones au Québec : état des lieux et des interventions,* Rapport préliminaire présenté au Fonds de recherche québécois sur la société et la culture dans le cadre d'une action concertée, 2011.

Wally T. Oppal, *Forsaken* (Abandonnées), Rapport de la Commission d'enquête sur les femmes disparues, novembre 2012.

Human Rights Watch, *Ceux qui nous emmènent. Abus policiers et lacunes dans la protection des femmes et filles autochtones dans le nord de la Colombie-Britannique, Canada,* 13 février 2013.

Maryanne Pearce, *An Awkward Silence : Missing and Murdered Vulnerable Women and the Canadian Justice System,* Université d'Ottawa, Faculté de droit, 2013.

Comité spécial sur la violence faite aux femmes autochtones, *Femmes invisibles : un appel à l'action. Un rapport sur les femmes autochtones portées disparues ou assassinées,* Chambre des communes, mars 2014.

Gendarmerie royale du Canada, *Les femmes autochtones disparues et assassinées : un aperçu opérationnel national,* mai 2014.

TABLE

CET OUVRAGE A ÉTÉ IMPRIMÉ EN AVRIL 2015
SUR LES PRESSES DES ATELIERS DE
L'IMPRIMERIE GAUVIN POUR LE COMPTE DE
LUX, ÉDITEUR À L'ENSEIGNE D'UN CHIEN D'OR
DE LÉGENDE DESSINÉ PAR ROBERT LAPALME

L'infographie est de Claude BERGERON

La conception graphique de la couverture est de David DRUMMOND

La révision du texte a été réalisée
par Laurence JOURDE

Lux Éditeur
c.p. 60191
Montréal, Qc, H2J 4E1

Diffusion et distribution
Au Canada : Flammarion
En Europe : Harmonia Mundi

Imprimé au Québec
sur papier recyclé 100 % postconsommation